D0228783

BONJOUR, CHARLES !

DU MÊME AUTEUR

JE VOULAIS TE PARLER DE JEREMIAH, D'OZELINA ET DE TOUS LES AUTRES..., HMH, 1967.
LES HIRONDELLES, HMH, 1973.
CAP-AUX-OIES, Libre Expression, 1980, et 1991 en édition illustrée.
GIRIKI ET LE PRINCE DE QUÉCAN, Libre Expression, 1982.
MONTRÉAL BY FOOT, Les Éditions du Ginkgo, 1983.
OKA, Les Éditions du Ginkgo, 1987.
PROMENADES ET TOMBEAUX, Libre Expression, 1989.
GABZOU, Libre Expression, 1990.
L'ÎLE AUX GRUES, Libre Expression, 1991.
LISE ET LES TROIS JACQUES, Libre Expression, 1992.
GÉOGRAPHIE D'AMOURS, Libre Expression, 1993.

Collectifs

Poèmes, dans *Imagine...*, science-fiction, littératures de l'imaginaire, n° 21 (vol. V, n° 4), avril 1984.
Le Temps d'une guerre, récit, dans UN ÉTÉ, UN ENFANT, Québec/Amérique, 1990.
L'Amour de moy, récit, dans LE LANGAGE DE L'AMOUR, Musée de la Civilisation, 1993.

Théâtre

LES BONHEURS-Z-ESSENTIELS, Théâtre de l'Estoc, 1966.
LES BALANÇOIRES, Théâtre de Quat'Sous, 1972.

Jean O'Neil

BONJOUR, CHARLES !

Données de catalogage avant publication (Canada)

O'Neil, Jean
Bonjour, Charles!
ISBN 2-89111-584-8
I. Titre.

PS8529.N3B65 1994 C843'.54 C94-940017-3
PS9529.N3B65 1994
PQ3919.2.O54B65 1994

Illustration de la couverture
Gilles Archambault
Maquette de la couverture
France Lafond
Photocomposition et mise en pages
Sylvain Boucher

2016, rue Saint-Hubert
Montréal, Qc H2L 3Z5

Dépôt légal :
1er trimestre 1994

ISBN 2-89111-584-8

Pour Charles,
Annie et Martin.

16 juin

Bonjour, Charles!

J'apprends ta naissance prochaine au moment où je m'engage de nouveau sur les routes du pays qui sera bientôt le tien, et c'est pourquoi je penserai à toi chemin faisant.

Non, je ne penserai pas à toi.

Je t'emporte avec moi dans ma tête, dans mon cœur et sur mon dos pour te montrer, te raconter et t'expliquer un peu ce que nous verrons en route.

Cela ne te sera sans doute d'aucune utilité... mais comment veux-tu qu'un grand-père soit utile s'il n'est pas millionnaire?

Je suis pauvre sans l'avoir vraiment choisi, mais je suis fier de l'être car j'ai un peu horreur des choses qu'il faut faire pour être riche. Ce n'est pas que j'aie peur du travail, loin de là, mais, pour être riche, il faut plutôt faire travailler les autres et j'aime beaucoup moins ça.

François d'Assise avait choisi d'être pauvre et je l'ai toujours admiré, sans toutefois l'avoir imité bien souvent.

Alors, si tu n'y vois pas d'objection, je t'embarque dans mon sac pour te promener avec moi sur les routes du pays. Je sais très bien que tu peux m'accompagner : ta marraine, Marie-Ève, m'a dit qu'elle avait tâté le bedon de ta mère et qu'elle avait déjà reçu quelques coups de pied.

Tu ne manques donc pas de vigueur !

Nous verrons beaucoup de choses, mais, hélas, il y en a tellement que nous ne verrons pas... Nous verrons d'abord et avant tout le décor de l'homme d'ici, et, parfois, l'homme lui-même.

Le décor de l'homme d'ici est varié à souhait et je ne cesse jamais de m'étonner devant la diversité de ses paysages, même si l'on peut généralement le découper en quatre territoires principaux : le triangle de la plaine du Saint-Laurent, qui s'insère entre les Laurentides du Bouclier canadien, à l'ouest, et le grand galop des Appalaches vers le parc national de Forillon, à l'est; au-delà, franc nord, quinze fois plus vaste que nos habitats actuels, une myriade de lacs retournent au soleil son clin d'œil dans un silence qui n'est brisé qu'occasionnellement par le ronron d'un avion, le puissant rot de la dynamite qui redresse les rivières à notre gré, la harangue des Amérindiens et des Inuit dispersés jusqu'au cap Wolstenholme, à la pointe de l'Ungava, où le jour dure tout un jour et l'été, le temps d'une fleur.

Ces quatre entités se découpent elles-mêmes à l'infini et, au bout du compte, rien n'est pareil à rien, comme ces sextillions de flocons de neige jamais identiques ou comme les individus de cette foule, tous singuliers dans leur commune appartenance.

Puis, à l'ouest comme à l'est de ces vastes espaces, vers l'un et l'autre océan, c'est encore ton pays pour le temps qu'on en parle et j'espère qu'on en parlera longtemps.

Voilà pour le décor.

Quant à l'homme, il est aussi varié que son habitat. Il est généralement mineur à Rouyn, à Asbestos, à Chapais et à Chibougamau; pêcheur le long du fleuve jusqu'en Gaspésie et sur la Côte-Nord; fonctionnaire à Québec et dans toutes les capitales régionales comme Hull et Rouyn encore, Laval,

Montréal, Sherbrooke, Trois-Rivières, Chicoutimi, Rimouski et Baie-Comeau. Il est monteur de lignes quand il n'est pas camionneur ou ingénieur à la baie James. À travers tout le territoire, il est administrateur, agent multiforme, agronome, architecte, arpenteur, avocat, banquier, biologiste, boucher, boulanger, cassé, chanteur, chauffeur, chercheur, chômeur, comédien, comptable, courtier, cuisinier, député, dessinateur, écrivain, éditeur, électricien, éleveur, étudiant, facteur, fédéraliste, financier, fleuriste, gérant, géologue, honnête, hôtelier, imprimeur, indépendantiste, infirmier, jardinier, joueur, malade, manœuvre, médecin, menteur, menuisier, musicien, navigateur, notaire, ouvrier, paresseux, peintre, pilote, plombier, policier, politicien, pompier, prêtre, professeur, prospecteur, prostitué, proxénète, psy à plusieurs sauces, publiciste, religieux, rentier, restaurateur, secrétaire de toutes les professions, travailleur, vendeur, voleur et bien d'autres choses...

À l'exception du prêtre, tout cela peut se mettre au féminin, parfois avec le plus grand bonheur, comme dans «infirmière».

Le plus souvent, cet homme, nous le verrons occupé à autre chose que son métier, en vacances qu'il est, sensible lui aussi aux dons bigarrés de la pleine saison.

L'été nous comble en effet d'une splendeur variable depuis le jour le plus long, qui l'inaugure, jusqu'à l'équinoxe, qui le clôt.

L'idéal serait qu'il ne pleuve que la nuit et qu'il n'y ait pas de canicule, mais les choses ne se passent pas ainsi et il faut fermer la mémoire aux mauvais moments afin de nous préparer mentalement pour les meilleurs, qui seront :

— la conversation avec M. Bédard qui désherbe les poireaux dans son potager d'Allan's Corners et qui explique longuement à quoi servent les silos à épis qui bordent la route ; comment son neveu sème son maïs au printemps et profite de l'été pour transporter de la dynamite du hameau voisin de Saint-Pierre jusqu'aux confins de l'Abitibi, le tout sous un soleil qui fait déjà fleurir les premiers zinnias ;

— le fils Dion, trois ans, qui cueille des fleurs de trèfle sur les pelouses de Coteau-du-Lac et qui en offre à tous les visiteurs ;

— l'identification du micocoulier là où il ne devait pas être ;

— le bouquet de marguerites cueillies près de la voie ferrée pour ensoleiller la chambre aux écritures ;

— la soirée passée au bord du lac Aylmer à chercher Véga, Arcturus, Capella, Albiréo, Altaïr et Antarès dans l'immense champ de marguerites qui fleurit la nuit seulement ;

— la tarte aux fraises mangée sur la pelouse, chez Louise et Pierre, devant un bouquet tout juste cueilli de la roseraie et de la plate-bande ;

— le récit du surintendant du parc du Saguenay qui, lors du tremblement de terre de l'automne 1988, a entendu des blocs monstrueux se détacher du cap Trinité pour plonger à la verticale dans le fjord avec des ploufs retentissants ;

— la surprise de la tenancière du *Gîte du Passant* de Rivière-Éternité, à qui son mari apporte un grand bol de framboises en lui disant : « À soèr, la mére, tu nous feras des pâtés », puis se sauve en riant sans attendre de réponse ;

— la statue de saint Jean-Baptiste avec son mouton, seule dans un pacage entre L'Anse-Saint-Jean et Petit-Saguenay ;

— la vingtaine de becs-scie qui pêchent dans la rivière Petit Saguenay en nous envoyant des couacs que nous interpréterons comme des bonjours ;

— la brume qui monte avec la marée dans la rade de Port-au-Persil tandis qu'au large un navire la traverse avec des « vooouuu » prolongés ;

— le rose ancien et précieux de la gesse palustre enchevêtrée dans les broussailles au bord du chemin qui descend vers le cap aux Rets ;

— le cheval qu'une mouche a piqué et qui détale d'un galop fou dans son pacage de Petite-Rivière-Saint-François ;

— les lignes d'Hydro-Québec qui, de pylône en pylône dans le val de Saint-Tite-des-Caps, semblent s'entrecroiser comme les fils du métier à tisser de Mme Perron ;

— les poitrines de poulet marinées que Monic nous sert dans le patio, entre les géraniums, les impatientes et les roses, au bord de la rivière Yamaska ;

— le nid d'oiseau vide tombé d'un bosquet de sureaux au bord de la rivière Coaticook ;

— les fraises, les framboises, les cassis, les mûres, les groseilles, les bleuets et les pommes ;

— le bord des routes fleuri de marguerites, d'épervières, de mille-pertuis, de potentilles et de linaires ;

— les chardonnerets qui nous filent sous le nez pour aller siffloter à l'aise à l'abri d'un buisson ;

— le chien qui jappe à la lune, le soir, dans le silence de Moes River ;

— les enfants qui pêchent à l'écluse de Sainte-Anne-de-Bellevue.

Viens-t'en, mon petit-fils, nous partons à la conquête de ces bonheurs et, de place en place, nous laisserons un message sur le répondeur téléphonique pour que nos interlocuteurs prennent patience tandis que nous explorons l'été.

Bonjour!

Voici l'été voici la route
Voici l'auto et le camion
Tandis que le soleil écoute
L'éclatement des floraisons
Le vent peigne les paysages
Où parfois un cheval galope
Et juin en guise de message
Nous dit bonjour au son du top

Où l'on rencontre un raton laveur au pays des fantômes

En prévision d'un automne électoral, il convient que ces routes d'été nous conduisent chez deux anciens Premiers ministres du Canada, le premier au tout début de ces vacances et le second à la toute fin de l'été, au moment où, encore hésitants sur nos choix, nous connaîtrons tout de même la date fatidique de cette foire nationale.

Aujourd'hui, c'est direction ouest, dans le merveilleux parc de la Gatineau, et je raconterai banalement les heures douces d'une journée magnifique, sous un ardent soleil de juillet tempéré par des brises mignonnes, et je raconterai ces heures en en souhaitant d'aussi agréables à tous.

* * *

Nous étions allés à Ottawa pour l'exposition Degas au musée des Beaux-Arts du Canada et, le devoir culturel religieusement accompli, nous avions sérieusement louché vers le parc de la Gatineau, où survit un des plus célèbres fantômes du Canada.

Situé en territoire québécois, le parc ressemble étrangement à un centre de plein air des huiles canadiennes. Le Premier ministre y a sa résidence d'été, au lac Mousseau, anciennement Harrington, et il se sert des aménagements du parc pour organiser, à l'occasion, des pique-niques constitutionnels. Le président de la Chambre y a lui aussi sa maison de campagne, dans la dernière demeure que William Lyon Mackenzie King ait habitée sur son domaine de Kingsmere.

Mackenzie King, successeur de Wilfrid Laurier, qui fut Premier ministre de 1921 à 1930 et de 1935 à 1948, détient, avec ces vingt-deux ans de pouvoir, un record canadien absolu qui ne sera sans doute jamais éclipsé.

Le lendemain donc, dès potron-minet, hop ! vers le parc encore perlé d'une lourde rosée, pour saluer ce fantôme qui s'entourait de fantômes.

Né à Kitchener en 1874, King fit ses études universitaires à Toronto, à Chicago et à Cambridge (Harvard), toujours sur les conditions sociales du travail, et c'est comme sous-ministre du Travail qu'il arriva à Ottawa en 1900.

Tout de suite, il découvrit le lac Kingsmere, dans le parc de la Gatineau, et il s'y fit construire un chalet dès 1903. Jusqu'en 1928, il ne cessa de l'agrandir et d'y ajouter des dépendances : le chalet des invités, le garage, le hangar à bateau, etc. Entre autres visiteurs, il y reçut le Premier ministre de la Grande-Bretagne et le prince de Galles, bien que ce fût un chalet plutôt modeste, caché sous les arbres. Le nom du lac, Kingsmere, n'avait rien à voir avec son propre patronyme, mais quand il baptisa sa résidence «Kingswood», c'était pratiquement un contrat de mariage entre lui-même, sa demeure et son hameau.

Ses plus importants visiteurs furent ses vieux parents. Il y soigna sa mère, lui faisant la lecture à son chevet, et sa mort lui fit une impression si profonde qu'il passa le reste de sa vie à la consulter, par toutes sortes d'intermédiaires qu'il s'inventait lui-même, la façon dont son chien Pat était couché, par exemple.

Beaucoup de célibataires s'adonnent au spiritisme et à l'ésotérisme. Ce n'est tout de même pas plus bête que le whisky, n'est-ce pas, cher John A. Macdonald?

Mackenzie King tenait un journal personnel où il relate abondamment ces expériences. Il a légué ce journal aux Archives nationales. Après un silence obligatoire de cinquante ans, les Archives le rendent public par tranches annuelles et, chaque année au jour de l'An, alors que les nouvelles sont rares, les journalistes attendent la dernière parution comme des chiens leur pâtée et ils s'en pourlèchent les badigoinces. Tout comme leurs lecteurs.

En 1928, King crut devoir mieux s'installer pour mieux recevoir ses visiteurs et ses collaborateurs. Sur un tertre du pré avoisinant, il construisit Moorside, son chef-d'œuvre, mieux pensé, mieux construit, mais sans plus d'extravagance, et il s'improvisa architecte paysagiste avec un rare bonheur. À même les éléments d'immeubles en démolition à Ottawa, il érigea des «ruines» sur ses pelouses. Ici, un arc de triomphe pour commémorer sa réélection de 1935; là, les ruines de l'abbaye, avec la fenêtre en saillie d'une ancienne banque et des pierres récupérées après l'incendie de l'édifice du Parlement en 1916.

On a beaucoup parlé de la morbidité de ces «ruines». J'avoue les avoir trouvées de bon goût. De très bon goût également ces sentiers qu'il fit aménager en forêt et où il entraînait ses visiteurs : le sentier de la Colline, le sentier de la Chute, la Vallée des Rois. Tout cela est accessible au visiteur, comme est accessible l'intérieur de Moorside, où, pour nous qui écrivons sur ordinateur, il est particulièrement émouvant de voir la vieille machine à écrire avec laquelle le Premier ministre du Canada s'adressait à ses collègues du monde entier.

* * *

Il est bien difficile de passer par là sans aller se tremper le gros orteil dans les eaux du lac Meech. Ma copine se l'est trempé jusqu'au cou en me faisant force invitations mais je me suis contenté du gros orteil et j'en ai été bien récompensé quand, assis sur le talus, j'ai reconnu une personne que je connaissais sans l'avoir jamais rencontrée.

Il est conseillé de ne jamais planter de lanternes chinoises dans son jardin, tellement la plante est envahissante. Or, elle a sa petite sœur indigène, coqueret ou cerise de terre, et il y en avait toute une colonie assise avec moi sur le talus.

Nous nous sommes dit bonjour.

En sortant du parc par Old Chelsea pour manger un morceau, nous eûmes la bonne fortune de tomber sur un délicieux petit restaurant, tout juste à gauche. La terrasse était invitante mais nous nous installâmes plutôt à l'intérieur pour nous donner congé de soleil. Nous commandâmes une salade et des quiches, des quiches différentes pour partager les saveurs. Quelle belle surprise quand le cuisinier, toque sur la tête, quitta ses fourneaux pour nous inviter à choisir nos laitues dans le potager attenant ! Quelle fête ! De la frisée verte, de la frisée rousse, de la Boston non encore pommée, de la toute jeune romaine, de tendres épinards, des queues d'ail et d'échalote et du basilic rouge qui embaumait à cinq mètres.

* * *

L'après-midi devait se terminer au belvédère Champlain pour admirer l'escarpement d'Eardley.

À notre grand étonnement, une poubelle se mit à valser devant nous dans le parc de stationnement. Bientôt, elle se stabilisa et un beau bandit masqué sortit la tête jusqu'au museau pour inspecter l'horizon. Voyant que nous n'avions pas l'intention de partir, ce raton laveur qui faisait les poubelles se hissa nonchalamment hors de son restaurant et trottina doucement vers la forêt sans nous prêter la moindre attention.

L'escarpement d'Eardley est le point de rencontre du Bouclier canadien et de la mer Champlain, devenue la plaine du Saint-Laurent. Le site parle avec éloquence. C'est l'endroit où la mer a dit : «Je suis la mer, je viens du sud et je remonte jusqu'ici.» Et l'escarpement a répondu : «Je suis le Bouclier canadien, je viens de la baie d'Hudson et tu n'iras pas plus loin.»

C'est le point de rencontre de l'horizontale et de la verticale et on ne retrouve le phénomène, encore qu'il n'y soit pas aussi net, que sur la côte de Beaupré, où sept ou huit rivières issues du Bouclier tombent à pic dans l'extrémité de la plaine, la Montmorency étant la plus spectaculaire.

L'escarpement est orienté franc sud. Les vents du nord lui passent par-dessus la tête et il se chauffe au soleil en développant un microclimat qui entretient des plantes qu'on ne devrait normalement trouver que dans le sud de l'Ontario. Un beau sentier d'interprétation, le sentier Champlain, bien sûr, nous entraîne pendant une trentaine de minutes parmi les curiosités naturelles de cet endroit unique, que nous ne reconnaîtrions sans doute pas si d'autres avant nous ne les avaient explorées pour comprendre et nous faire comprendre.

Il nous fut impossible de quitter les collines du parc de la Gatineau sans faire un nouvel arrêt aux «ruines» de Moorside pour nous recueillir, pour dire adieu et merci à un fantôme qui a fortement marqué son pays et qui avait fortement marqué notre journée.

* * *

Dans son recueil intitulé *Cuisine du Québec*, l'Institut de Tourisme et d'Hôtellerie du Québec attribue un étrange potage à la région de l'Outaouais. Il s'agit d'une variante de la vichyssoise classique, où l'oignon remplace le poireau à côté de la pomme de terre dans le mélange de bouillon de poulet et de crème.

L'Institut l'appelle «le Potage de la Paix» mais il ne dit pas s'il se consomme chaud ou froid lors des pique-niques constitutionnels au bord du lac Meech.

Tu t'éviteras bien des palabres, Charles, si tu te dotes d'une bonne constitution dès le départ.

21 juin

Bonjour!

C'est le solstice et chacun s'épivarde au soleil comme une marguerite ou comme une alouette.

Courtes et chaudes, les nuits s'allument de lucioles, de feux et de chansons qui rattachent les jours entre eux.

Ces jours précieux que chacun voudrait retenir.

Je n'y manque pas moi-même et, si vous me laissez un message au son du top, je ne manquerai pas, avec mon miroir magique, de vous renvoyer un rayon de soleil.

Où l'on voit Augusta McIver fuir les paysages du malheur

Donald Morrison naquit le 15 mars 1858 sur la ferme paternelle au sommet de la côte Ness qui surplombe le lac, à environ un kilomètre et demi du village qu'était Mégantic. Il partit pour l'Ouest américain à dix-huit ans, avec son ami d'enfance Norman McAuley. Pendant huit ans, il fut cow-boy. Au printemps, les deux prenaient charge d'un troupeau au Texas et remontaient le cours de l'été à travers les pâturages du Colorado, du Wyoming et du Montana, pour revenir à l'automne.

Il était au Montana en 1883 quand il reçut une lettre de sa mère lui demandant de rentrer pour les aider.

Sans lui avoir jamais écrit, une autre voix l'appelait, celle d'Augusta McIver qui demeurait sur la route de Springhill, qu'il avait connue adolescent et qui venait parfois illuminer ses rêves d'un souvenir.

Donald ignorait ce qui s'était passé sur la ferme. Augusta ne le savait que trop. Murdo Morrison sollicitait l'aide physique et financière de ses enfants mais ne leur donnait en retour que le gîte et le couvert. Il s'était chicané avec chacun d'eux. Malcolm et son épouse étaient partis pour l'Ouest sans plus jamais donner signe de vie. Exaspéré, Murdo junior avait traversé la route pour acheter la terre d'en face.

Murdo et Sophia Morrison étaient originaires de l'île Lewis dans les Outer Hebrides. Ils avaient émigré au Canada en 1838 pour fuir les exactions que les Anglais leur faisaient subir comme aux Irlandais. De ceux qui survécurent à la traversée, plusieurs s'installèrent ensemble dans la région de Mégantic, qui fut bientôt émaillée de toponymes écossais comme Winslow, Stornoway, Marston, Marsden, Marsboro, Gould et... Scotstown.

Donald paya les dettes et se mit à la tâche, mais il réclama bientôt d'être payé ou de se faire donner la terre. Il voulait installer ses parents sur un lopin voisin et voir à leur bien-être. Loin d'accepter cette proposition, le vieux Murdo alla emprunter chez un usurier de Mégantic, un autre McAuley, et Donald poursuivit son père en justice, seulement pour établir qu'il était le premier créancier. Criblés de dettes, les vieux durent abandonner la terre à l'usurier. Une fille Morrison demeurant à Marsden donna un bout de terrain au couple. Toute la famille, y compris Donald, et tous les amis leur bâtirent une cabane de bois rond où ils allaient finir leurs jours au coin du rang de Gisla.

Convaincu de ses droits de premier créancier, Donald continua d'occuper la ferme paternelle, d'où il fut évincé par un shérif. La ferme fut ensuite vendue à Auguste Duquette tandis que Morrison multipliait les démarches judiciaires avec un avocat minable. Il perdit tout, surtout sa confiance en la justice de son pays. Il ne se gêna jamais pour narguer et l'usurier et le nouveau propriétaire de la ferme.

Puis, un matin à l'aube, la grange de Duquette fut rasée par les flammes. Deux semaines plus tard, quelques balles fracassaient ses vitres. Il y eut enquête du coroner mais Morrison ne s'y présenta même pas. L'histoire démontre qu'il ne pouvait être coupable et que le coup avait probablement été monté par McAuley pour l'incriminer et lui faire vider la place, car Morrison menait une violente campagne contre les usuriers qui étouffaient les pauvres immigrés.

Le *Montreal Star* fit largement écho à cette campagne et Morrison avait décidé de se défendre non plus devant la justice mais devant l'opinion publique. Un mandat d'arrêt fut émis contre lui mais ne put jamais être exécuté car Morrison était introuvable.

Un contrebandier, recherché pour plusieurs délits aux États-Unis et qui s'approvisionnait en alcool à Mégantic, eut vent de la chose et se vanta de pouvoir attraper Morrison. Notre système judiciaire était déjà aussi merveilleux qu'aujourd'hui. Jack Warren fut assermenté avec mission de livrer Morrison mort ou vif.

C'était en juin 1888. Pendant une semaine, Warren logea dans la taverne de l'American Hotel à Mégantic et, entre deux bières, il sortait dans la cour pour exercer son tir sur une cible qu'il appelait Morrison.

Il devint la risée de la population. Au lieu d'attendre dans la cour de l'hôtel, pourquoi ne le cherchait-il pas?

Il annonça pompeusement qu'il se mettrait en chasse le jeudi 22 juin. Morrison, qui voulait à tout prix éviter ce pantin, profita de cette bonne nouvelle pour venir consulter des amis à Mégantic. Mais Warren était trop soûl pour partir en chasse et il était en train de boire un cinquième bock quand un murmure figea soudain hommes et femmes dans leurs occupations, rue principale. Donald s'avançait paisiblement, un bâton de marche à la main. La nouvelle fut bientôt sur toutes les lèvres et Warren, qui ne l'avait jamais vu, demandait à tout un chacun si c'était bien lui. Alors, il s'avança. Morrison essaya de le contourner mais l'autre ne le laissa pas passer. Bientôt, Warren dégaina et il allait mettre Morrison en joue quand un coup de feu claqua dans le silence. Warren s'écroula et ne se releva jamais.

Morrison n'avait même pas dégainé.

Depuis le mandat d'arrêt du coroner, il vivait dans les bois et couchait dans les maisons et les granges de ses amis. Après le meurtre, la solidarité fut plus grande encore. Une organisation clandestine surveillait les allées et venues de la police et des soldats pour avertir le hors-la-loi, qui, dans ses pérégrinations, trouvait fréquemment un repas complet sur un coin de galerie, sur une souche à la lisière des abattis ou carrément à la table de ses amis.

Un soir qu'il participait à une danse chez Augusta, la police vint faire une visite et, tandis que ses amis étiraient le temps, il sortit par une fenêtre de l'étage pour gagner les bois.

Les policiers partis, il revint danser.

Les policiers l'interceptèrent à quelques reprises et Morrison leur donnait toujours de précieux renseignements. Donald avait passé la nuit précédente chez Ian MacDonald, à Gould. Le temps que les policiers se concertent et se retournent pour l'interroger de nouveau, il avait fondu dans les taillis derrière la courbe.

Pendant douze longs mois, dont ceux d'un hiver rigoureux, il vécut ainsi à la barbe de ses poursuivants. Mais il vivait aussi aux crochets de ses amis et il ne pouvait l'accepter. Une trêve fut négociée et Morrison se préparait à se rendre à la justice quand il fut froidement abattu par des chasseurs de primes, le soir de Pâques 1889, à la porte de la cabane de ses parents. Blessé, enroulé et ligoté dans des couvertures et des tapis sur le plancher de la gare de Marsden, il attendit un train spécial qui arriva à trois heures du matin pour l'emmener à Sherbrooke, où il fut conduit à la prison et où il subit son procès en octobre suivant.

Le jury le trouva coupable d'homicide involontaire et recommanda la plus grande clémence. Il fut condamné à dix-huit ans de pénitencier, non pas tant pour la mort d'un voyou que pour avoir bafoué la police. Conduit au pénitencier

Saint-Vincent-de-Paul, il fut un prisonnier modèle mais tout à fait passif. Après quelques années, il s'y laissa mourir de faim malgré l'insistance de ses amis, qui voulaient en appeler de la sentence.

L'aumônier de la prison intercéda pour que cet homme juste fût hospitalisé dans les meilleurs délais. Il le fut, le 19 juin 1894, à l'hôpital Royal Victoria, où il décéda quelques heures après son admission. Le lendemain, plus de deux cents amis escortaient la dépouille jusqu'à la gare, où elle fut mise à bord du train Montréal-Halifax. Le train fit un arrêt à Marsden et, sous des monceaux de fleurs, le cercueil de Donald Morrison fut mis en terre dans le cimetière de Gisla, à deux kilomètres de la cabane de ses parents.

* * *

Marsden est devenu Milan. Springhill est devenu Nantes et le progrès a rendu la région semblable à bien d'autres. On peut suivre Donald Morrison dans toutes sortes de mauvais chemins et dans des bois touffus qui racontent la vitalité de cet homme, avec en prime un vol de perdrix ou les bonds d'un chevreuil. Dispersés dans la région, les cimetières écossais, impeccables, abritent tous les témoins du drame, sauf ceux qui ont choisi de fuir à jamais les paysages du malheur, comme Augusta McIver.

Ils sont beaux pourtant, ces paysages, densément boisés au pendant de longues vallées ou grassement herbeux pour des troupeaux élégants de nonchalance. Au sommet d'une côte, on voit souvent la route, droite comme une idée fixe, qui descend et qui remonte là-bas à cinq kilomètres devant soi.

Mégantic rappelle encore l'invasion américaine dirigée par Benedict Arnold en 1775. Les «clés de la ville» sont faites d'un sabre et du canon d'un fusil enlevés à l'un de ses soldats.

Si on ne se laisse pas piéger par les itinéraires de Donald Morrison, il reste les activités sur le lac lui-même : croisière, voile ou «saucette»; des terrains de golf plus panoramiques les uns que les autres, des excursions en montagne et notamment à l'observatoire astronomique du mont Mégantic; une visite à la Maison du granit ou au parc Frontenac, ainsi que de fort bonnes tables. La Chambre de commerce, à son insu peut-être, nous informe de tout cela sur le site même de la ferme Morrison, au-dessus du beau lac, sur la route 161.

Lorsque je vais à Milan pour rendre hommage au Louis Riel de Mégantic, je guette le train Montréal-Halifax quand, de loin dans la forêt, il hurle longuement son prochain passage dans le hameau, comme pour saluer un héros. En l'entendant, mon amie et moi avons eu froid dans les os et nous sommes déplacés pour être certains de le voir.

Je te sens frémir, Charles, mais Donald Morrison dort dans le cimetière de Gisla et le train n'arrête plus à Milan.

30 juin

Bonjour!

Nous rentrons des Cantons-de-l'Est.

La fleur de coucou rosit les fossés et les champs.

La lumière roule sur la tête des arbres qui ont achevé de refaire leur feuillage.

L'eau se bouscule dans les ruisseaux ou s'étale comme des bijoux dans le paysage.

Il y a toujours un merle au bord de la route et nous avons même eu droit à une biche et à son faon.

Nous nous sommes regardés longuement puis ils sont partis au son du top, sans, hélas, laisser de message.

Où l'on découvre à quoi peuvent servir les granges

Un fort flambant neuf, une garnison d'opérette, des tortues, des hérons, des bihoreaux, des canards, des sternes, du soleil, de l'eau, la paix : il y a tout cela sur l'île aux Noix, mais il ne reste plus de noix.

Il fut un temps où les rivières étaient les plus importants sinon les uniques chemins de la guerre et du commerce, car la guerre et le commerce font voyager. Seule la paix garde chacun chez soi. À plus ou moins longue échéance, la guerre engendre la paix, la paix engendre le commerce, le commerce engendre la guerre et tout recommence.

Au temps de la Nouvelle-France, il y avait trois routes principales en ce pays : le fleuve Saint-Laurent, la rivière Richelieu et la rivière des Outaouais. Jacques Cartier a remonté le fleuve seulement. Samuel de Champlain a remonté le fleuve et les deux rivières. Aussi fut-il sans doute un des premiers Européens à voir l'île aux Noix, en plein milieu du Richelieu. L'écrivain Eugène Achard, qui entremêlait l'histoire et la légende avec tant de bonheur que ses lecteurs n'arrivent pas à les démêler, prétend que l'île fut ainsi nommée par Champlain lui-même. Peut-être bien. Ce serait sans doute lors de son voyage de 1609 quand il s'en fut guerroyer chez les Iroquois, sur le lac qui porte son nom dans l'actuel État de New York.

L'île refit surface dans les documents quand le seigneur de Noyan la loua à un soldat de Claude-Nicolas de Lorimier, au milieu du dix-huitième siècle, pour la rente annuelle d'une «pochée» de noix.

* * *

C'est en 1759 que l'île trouva sa vocation militaire. Quelques mois avant la bataille des plaines d'Abraham, on y creusa des retranchements et on projetait d'y construire des bâtiments pouvant abriter cinq cents hommes. Avec des fortifications et une garnison, l'île aux Noix serait devenue comme un poste de péage sur une autoroute, un poste où l'on aurait interdit ou permis le passage à volonté. Mais les travaux ne furent jamais complétés car Wolfe et son armée campaient devant Québec depuis le 27 juin et tenaient les milices canadiennes occupées ailleurs qu'à l'île aux Noix.

Au printemps de 1760, les Britanniques se lancèrent à l'assaut de Montréal pour achever la conquête de la Nouvelle-France. Amherst descendait le Saint-Laurent en partant du lac Ontario; Murray le remontait en partant de Québec et Haviland descendait le Richelieu pour rejoindre Murray à Sorel. Bougainville fut envoyé à l'île aux Noix pour le stopper mais il en fut empêché par la désertion massive des soldats de la garnison. Il abandonna l'île le 27 août et, faute de combattants et de provisions, Montréal capitulait sans bataille le 8 septembre.

La grande guerre de 1812, qui fut, à Moscou, le commencement de la fin de Napoléon, n'eut lieu ici qu'en 1813, mais quand les armées américaines envahirent le Canada, elles suivaient toujours les rivières, sauf qu'elles ne naviguaient pas. Elles marchaient.

On se demande alors pourquoi les Britanniques décidèrent de fortifier l'île aux Noix. Si ce fut pour décourager l'ennemi, le résultat fut d'une efficacité totale car, quand on parle de fort flambant neuf, c'est qu'il ne fut jamais attaqué. La garnison qu'il abritait allait plutôt guerroyer au lac Champlain quand besoin était. Il servit de prison pour des insurgés durant les troubles de 1837-1838, et, plus tard, de centre de réhabilitation pour jeunes délinquants.

Les miliciens l'abandonnèrent définitivement en 1870.

* * *

Le nom du fort, Lennox, rappelle aujourd'hui des anecdotes amusantes pour qui ne les a pas vécues.

Parions que Charles Lennox fut le seul administrateur britannique à naître et à mourir dans une grange. Le 9 septembre 1764, sa mère était en excursion de pêche quand elle se sentit mal. On la transporta aussitôt dans le bâtiment le plus rapproché, une grange, et c'est là que le futur gouverneur général du Canada vit le jour. Marié à vingt-cinq ans, il eut quatorze enfants et fut nommé gouverneur général de l'Amérique du Nord britannique le 8 mai 1818.

À l'été de 1819, Lennox décida de visiter son domaine. À Sorel, il fut mordu par un renard atteint de la rage. On prit les précautions d'usage et, devant la guérison apparente, il poursuivit sa tournée, visitant Niagara Falls, Toronto, Kingston et se dirigeant vers Ottawa en suivant la rivière Rideau.

Lennox était aussi duc de Richmond et il approchait d'un village ainsi nommé en son honneur quand, paralysie et convulsions, les véritables effets de la rage se firent sentir. On le transporta aussitôt dans le bâtiment le plus rapproché, une grange, et c'est là qu'il mourut, après d'horribles souffrances.

Son prédécesseur, John Coape Sherbrooke, avait laissé son nom à la reine des Eastern Townships. Le nom de

Lennox fut donné à la banlieue de Sherbrooke, Lennoxville, et, comme il avait insisté pour que soient renforcées les fortifications de la colonie, on lui rendit un autre hommage posthume en donnant son nom au fort de l'île aux Noix, alors en pleine rénovation.

Magnifique, le fort, en forme d'étoile à cinq pointes que les douves encerclent complètement. La garnison d'opérette se compose essentiellement des visiteurs, qu'on affuble de tabliers représentant l'uniforme des troupes britanniques au siècle dernier. La revue de la garde, menée par des étudiants universitaires dûment embrigadés, est un spectacle à ne pas manquer, tant pour la maladresse des recrues que pour les ordres loufoques aboyés par les «autorités» militaires.

Plus sérieuse est la visite guidée de tous les bâtiments : corps de garde, casernes, boulangerie, arsenal, poudrière et fortifications.

Plus sérieuse encore est la fouille archéologique publique organisée pour la première fois cette année afin de mettre au jour les fondations d'une tour à canon qui n'a jamais été complétée. Une équipe d'archéologues dirigeait les travaux.

* * *

Eugène Achard a intitulé son roman *Le Trésor de l'île aux Noix*. Or, sur cet île vouée à la guerre, si trésor il y a, c'est la paix.

Aucun bruit de moteur sur l'île. Le Service canadien des Parcs doit bien disposer de véhicules pour l'entretien des lieux, mais on ne les voit ni ne les entend durant les visites.

Un vaste parc de stationnement retient les automobiles à Saint-Paul-de-l'Île-aux-Noix, sur la route 223, et la visite commence comme elle se termine, à bord d'un traversier.

C'est l'endroit par excellence pour un pique-nique familial de petite ou de grande envergure.

À moins qu'ils ne soient assez petits ou assez imprudents pour se jeter dans les douves, on peut oublier les enfants et les laisser courir à la limite de leur curiosité et de leur énergie. Mais ils seront fascinés par les douves car c'est là qu'on voit les tortues se chauffer au soleil. C'est là aussi qu'on voit des hérons et des bihoreaux habilement dissimulés sous les feuillages, dans l'attente d'une grenouille, sans doute. Les douves, on peut les suivre de l'intérieur ou de l'extérieur des fortifications et elles offrent deux spectacles différents.

Non. Avec ses oiseaux, sa faune et sa flore de rivage ou de marécage, avec ses prés fleuris, avec son fort fanfaron réduit à un décor purement historique, avec sa paix omniprésente, c'est l'île tout entière qui est un spectacle différent de la vraie vie.

* * *

Le pique-nique est de rigueur, et sans un seul sandwich. Au menu pour tout un régiment, sortis d'une glacière bien rafraîchie et servis sur une ou des nappes à carreaux :

- salade de morue dessalée avec oignons, œufs durs, olives noires et persil, le tout haché, évidemment;
- crevettes de Matane dans une mayonnaise au cari ou une mayonnaise au ketchup et au raifort;
- salade de thon avec câpres, olives noires et persil hachés, de même que de fines rondelles de tomate et d'oignon, le tout arrosé d'huile d'olive;
- salade de moules dans un fin hachis de carottes, poivrons, tomates, céleri, échalotes et coriandre, le tout dans une douce vinaigrette;

– concombres à la crème généreusement saupoudrés de brins d'aneth ;
– salade de pommes de terre à l'huile et au vinaigre ;
– salade verte aux diverses laitues et fines herbes ;
– bâtons de céleri et carottes dans de l'eau glacée ;
– radis au beurre ou à la croque au sel ;
– variété de biscottes, de craquelins et de pains ;
– gâteau au chocolat découpé à l'avance ;
– fruits frais ;
– limonade maison pour les enfants et cidre bien frappé pour les adultes.

Surtout, oui, surtout, Charles, ne pas oublier les noix.

7 juillet

Bonjour!

Par les soirs bleus d'été
J'irai dans les sentiers
*Picoté par les blés**
Et je me souviendrai
Du mois de février
Où j'ai tant pelleté
Quand je m'endormirai
En rêvant j'entendrai
Téléphone sonner
Mais resterai couché
Et je rappellerai
Quand j'aurai oublié
Le mois de février

* Arthur Rimbaud, *Sensation.*

Où l'on salue le seul général qui ait gagné une bataille monté sur un cheval de bois

Dans nos manuels scolaires, il s'appelait simplement Michel de Salaberry et il avait gagné la bataille de Châteauguay.

Hélas! les choses se compliquent avec l'âge.

Le *Dictionnaire biographique du Canada* raconte maintenant qu'il s'appelait Charles-Michel d'Irumberry de Salaberry et qu'il a gagné la bataille de «la» Châteauguay.

Il est vrai que l'affrontement entre les troupes américaines et les troupes canadiennes n'eut pas lieu un «dimanche au soèr à Châteauguay» comme dans la chanson du groupe Beau Dommage, mais plutôt un mardi, le 26 octobre 1813, à quelque trente-deux kilomètres plus au sud, à huit kilomètres d'Ormstown sur la route 138, dans le hameau d'Allan's Corners, du côté gauche de la rivière Châteauguay.

Ce nom d'Irumberry de Salaberry, il le tenait de ses ancêtres navarrais. Son grand-père Michel, officier de marine, avait laissé tomber la première moitié du patronyme, mais son père Ignace-Michel-Louis-Antoine, officier, seigneur, politicien et téteux royal, l'avait récupéré.

Charles-Michel l'avait gardé.

D'Irumberry de Salaberry, cela peut avoir une consonance de borborygmes, et, en ce jour fatidique à l'abattis d'Allan's Corners, le pauvre devait sûrement en avoir si l'on se réfère à l'historienne Michelle Guitard pour connaître la ration quotidienne des troupes : «678,24 g de farine ou de biscuits, 1 085 g de lard salé ou 904 g de bœuf, frais ou salé». Les compléments alimentaires, fruits, légumes, volailles, devaient être chapardés dans les fermes ou achetés des vivandiers qui suivaient l'armée.

D'Irumberry de Salaberry, cela ne ressemble-t-il pas aussi à un roulement de tambour? Il en commanda plus d'un ce jour-là, dans son propre camp, pour encourager les siens qui grelottaient de froid sous la pluie et qui grelottaient de peur devant les trois mille hommes du général Wade Hampton qui avançaient en jouant eux aussi du tambour pour se remonter le moral qu'ils avaient dans les talons.

D'Irumberry de Salaberry, cela peut également gronder comme des salves de mousquet que le lieutenant-colonel, debout sur une souche, commandait tel un chef d'orchestre à son pupitre. Plus tard, il écrivit qu'il était sans doute le premier général qui eût gagné une bataille monté sur un cheval de bois.

Au fait, pourquoi les Américains voulaient-ils envahir le Canada?

Parce que le Canada n'était pas encore le Canada mais l'Amérique du Nord britannique.

Les Américains avaient obtenu leur indépendance de l'Angleterre mais la première marine du monde ne cessait de harceler leurs navires en haute mer. De plus, les autorités britanniques soutenaient les Amérindiens de l'Ouest dans leur résistance aux visées expansionnistes des jeunes USA. La solution américaine était de nettoyer l'Amérique du Nord de toute influence britannique et l'occasion était belle car un certain Napoléon obligeait l'Angleterre à garder le gros de ses forces guerrières en Europe.

Hampton divisa son armée en trois. Mille hommes, sous la direction du général Purdy, traversèrent la rivière à Ormstown, et, sous le couvert de la forêt, ils devaient se rendre en aval de l'abattis, retraverser à gué et attaquer par-derrière. Hampton devait attaquer de front, avec mille hommes lui aussi, et il en laissait mille derrière pour éventuellement prêter main-forte à l'une ou l'autre division.

Dans la nuit, Purdy se perdit dans la forêt, et, en revenant à son quartier général, Hampton y trouva une dépêche du haut commandement lui ordonnant de rentrer.

Trop tard. Il lui fallait avancer.

Il avança, confiant que Purdy était déjà rendu derrière, mais Purdy pataugeait encore dans la forêt marécageuse.

Hampton goûta à la grenaille des Voltigeurs et se retira.

Par mesure de précaution, Charles-Michel et caetera avait envoyé des hommes de l'autre côté de la rivière, et Hampton venait de partir quand il entendit les premiers coups de feu. Attaqué par les capitaines Brugières et Daly, Purdy décida de gagner la rive et — oh ! — se retrouva tout juste en face de l'abattis et de d'Irumberry de..., qui, debout sur l'escarpement, hurlait des ordres en français pour ne pas que les Américains comprennent. La rivière n'est pas large et les Voltigeurs, enhardis par le repli de Hampton, se mirent à canarder de front les hommes de Purdy, déjà harcelés par-derrière.

Mais la forêt marécageuse qui l'avait perdu lui évita l'hécatombe. S'il était impossible d'y organiser une bataille rangée, elle était parfaite pour camoufler un sauve-qui-peut.

Sur le site, la bataille de la Châteauguay dura à peine trois heures. Dans les officines militaires et politiques, elle dura trois ans et même davantage.

C'est que le gouverneur général George Prevost arriva sur les lieux avec mille hommes pour apprendre que la bataille était terminée et gagnée. Vert de rage, il félicita quand même les défenseurs, mais C.-M. d'I. de S. dut attendre trois ans avant d'obtenir promotion et décorations. C'est-à-dire qu'il dut attendre la mort de Prevost. Entretemps, il était devenu un héros populaire, au grand dam de certains anglophones qui revendiquaient pour les leurs le mérite de la victoire. La polémique fit vivre plusieurs gazettes pendant quelques décennies.

Peut-être ce récit est-il trop long mais, entendu sur les lieux mêmes de l'affrontement, il est passionnant et on se dit que le centre d'interprétation du Service canadien des Parcs devrait être fréquenté davantage.

De la salle qui offre une vue panoramique des lieux, on s'étonne d'abord que Purdy se soit perdu en forêt et que les Voltigeurs aient pu abattre des arbres pour construire un fortin en moins de vingt-quatre heures. Des arbres, on en a gardé le long de la rivière et des clôtures, mais de forêt ou de marécage, point. Ce ne sont partout que de belles terres découpées en cultures, en pâturages et en champs de fourrage.

Devant ces fenêtres qui nous en mettent plein la vue, une maquette animée de points lumineux et accompagnée d'une bande sonore très Irumberry de Salaberry décrit en détail les péripéties de la rencontre. Un film raconte brièvement la bataille, avec feu Pierre Dufresne qui dirige le feu dans le rôle de feu d'Irum... de Sa... À l'extérieur, des parterres et des berges où le zizia doré (attention à la prononciation!) étale ses ombelles au-dessus des nénuphars qui fleuriront bientôt.

Il s'y livre encore des batailles, aériennes celles-là, alors que les tyrans tritris pourchassent les corneilles. Plus à ras de terre, goglus et chardonnerets sifflent leur pâmoison estivale et, en prime, un martin-pêcheur se jette à l'eau en se prenant pour une bombe.

Ce sont surtout des colons écossais qui ont transformé la forêt en plaine fertile, et certains lieux-dits comme Tullochgorum et Ayrness portent encore leur signature, bien que, d'Antoine-Abbé à Philomène, les Canadiens français aient réussi à sanctifier une bonne partie du cadastre.

Si seulement la chose était possible, il faudrait traverser Kahnawake et Châteauguay les yeux fermés pour ne pas voir la parade de panneaux-réclame des deux côtés de la route 138.

Venant de Montréal, il faut aller au-delà de Mercier pour oublier ce chancre urbain et accéder à des paysages propres, même dans leur exploitation humaine. Dès les abords de Sainte-Martine, on commence à respirer plus à l'aise, et, sautant la rivière pour la remonter sur la rive gauche, il y a parfois du ravissement à la vue de si belles maisons, si bien entourées de fleurs, de potagers, de troupeaux et de champs qui déroulent à perte de vue leurs cultures de maïs et de soya.

Et cette rivière flemmarde qu'on peut suivre des yeux grâce aux bosquets qui l'accompagnent à travers la plaine, cette rivière vient parfois lécher la route ou se glisser dessous pour se couler ailleurs, nous rappelant sans cesse que les détours consentis sont un des plaisirs de la vie.

Il en est ainsi jusqu'à la frontière américaine. Un jour que j'en revenais et que je racontais ma journée à Lise Chicoine, elle me coupa net la parole :

— Ah ! les fermes de la Châteauguay ! Elles sont tellement belles ! T'es encore au Canada mais tu te penses déjà aux États !

* * *

Les Voltigeurs de 1813 auraient apprécié cette recette que les sœurs de la Charité de Québec, à l'École ménagère régionale de Plessisville, n'ont malheureusement publiée que dans nos années trente.

Cela s'intitule «Recette pour choux à la crème en temps de guerre et de rationnement».

«Les ménagères apprendront sans doute avec bonheur que les choux à la crème se réussissent aussi bien et ont un goût aussi savoureux, faits à la graisse qu'au beurre.»

Il s'agit d'utiliser une demi-tasse de «graisse composée, shortening ou autre»; une tasse d'eau chaude; une tasse de farine et quatre œufs.

Voilà pour les ingrédients. Quant à la procédure, elle est la même depuis qu'on fait des choux à la crème et on la trouve dans n'importe quel livre de recettes, même en période de paix relative.

La paix relative, Charles, tu es à la veille de connaître ça.

13 juillet

Bonjour!

J'aime l'été j'aime les ponts
J'adore l'échangeur Turcot
Et le gars de la construction
Qui salue avec un drapeau

Vous savez qu'il n'y a pas d'âge
Pour s'en aller à l'aventure
Et j'aime les embouteillages
À la saison des confitures

J'adore tous les arrêt/stop
Qui nous étirent le voyage
On comprend très bien leur message
Sans attendre le son du top

Où des ossements nous transportent au pays des chasses bienheureuses

La préhistoire est l'ensemble des événements concernant l'humanité avant l'apparition de l'écriture et de la première métallurgie. Dans l'état actuel de nos connaissances, elle débute il y a environ six millions d'années avec l'apparition de l'australopithèque.

Toujours dans l'état actuel de nos connaissances, l'histoire débute il y a environ sept mille ans quand l'écriture apparaît au bord de l'Euphrate dans ce qui fut successivement Sumer, la Chaldée, la Babylonie et la Mésopotamie pour être aujourd'hui l'Irak.

Il y a cinq mille ans, Khéops, roi d'Égypte, fit construire la grande pyramide ainsi que le Sphinx géant sur le plateau de Gizeh.

Il y a quatre mille cinq cents ans, Abraham quittait Ur, en Chaldée, pour s'établir dans le pays de Canaan, qui fut plus tard la Terre promise des Hébreux.

Dans l'espace comme dans le temps, tout cela se passe bien loin d'ici et pourtant...

Et pourtant c'est l'époque où une Amérindienne fut enterrée avec son enfant de dix-huit mois à Coteau-du-Lac, à cinquante kilomètres au sud-ouest de Montréal par la route 20, sur la rive gauche du Saint-Laurent. Elle s'appelle simplement 9G49A.

À côté d'elle, et sans relation apparente puisque sa sépulture serait ultérieure de quelques siècles, fut enseveli 9G49B, un brave d'environ quarante et un ans, apparemment décédé de cause naturelle. Pour le voyage au-delà de la vie, on prit soin de lui remettre ses armes et ses outils, en pierre, en os et en andouiller. Faveur insigne, il eut même droit à un galet où, serein, apparaît un visage humain.

BhFn-1 eut la fin moins heureuse, comme en témoigne une pointe de cuivre natif logée entre la septième et la huitième vertèbre. L'absence de certains ossements et des traces de morsures sur d'autres laissent croire que son ou ses ennemis l'abandonnèrent sur place et qu'il fut la proie des carnivores avant que les siens ne le retrouvent et ne lui fassent les honneurs de la sépulture. Une abondance d'outils, d'armes et de présents démontre que ce jeune homme dans la vingtaine avait gagné la haute considération des siens.

Que faisaient-ils à Coteau-du-Lac avant même que le pharaon d'Égypte ne devienne le roi-dieu de son peuple et pendant que les Celtes construisaient le mystérieux cercle de pierres de Stonehenge en Angleterre ?

Entre les lacs Saint-François et Saint-Louis, le cours du Saint-Laurent est une succession de rapides qui débutent précisément à Coteau-du-Lac, où une belle pointe de terre s'avançait parmi les premières cascades. Assurément, ce lieu avait une grande importance économique pour ces Amérindiens qui vivaient de pêche, de chasse et de cueillette. Leur présence y était strictement saisonnière et liée aux migrations des poissons et du gibier à plumes. Si riche était le site que l'importance économique se doubla d'une importance religieuse et ils prirent l'habitude d'y ensevelir leurs morts avec hameçons, poignards, petites bêtes, oiseaux et poissons, comme si l'endroit eût été l'entrée du pays des chasses bienheureuses.

* * *

Avec tous les barrages hydroélectriques construits depuis un siècle, le niveau de l'eau s'est abaissé et la pointe ne s'avance plus dans le fleuve; elle le domine.

C'est sans doute de façon involontaire que les Blancs ont désacralisé ce haut lieu, qui fut pour eux aussi un endroit de passage, mais d'un autre ordre.

Pour gagner l'intérieur du continent, le Saint-Laurent était l'autoroute toute désignée, sauf qu'elle était littéralement barrée par les rapides. On pouvait esquiver ceux de Lachine en s'embarquant en amont, directement sur le lac Saint-Louis, mais, entre ce dernier et le lac Saint-François, il n'y avait pas d'esquive possible. Portager comme les Amérindiens? Cela n'était pas commode car les habitants n'en étaient plus à l'exploration. Des forts et des établissements divers s'échelonnaient jusqu'au bout des Grands Lacs et il fallait approvisionner ces postes.

On en vint à construire des barges à fond plat, les «batteaux», pour que la charge vaille le voyage. Ces «batteaux», on les halait à la «cordelle» à travers les rapides du Rocher fendu, du Trou du Moulin et de la Faucille, mais, rendu à Coteau-du-Lac, ça ne passait plus et les Français y allèrent d'une première invention, le canal «rigolet».

Il s'agissait tout simplement d'un long muret de pierres construit parallèlement au rivage. L'eau y pénétrait sans s'énerver comme au large et les voyageurs halaient leur embarcation en toute quiétude.

Vinrent ensuite la conquête anglaise en 1760 puis la guerre de l'Indépendance américaine en 1775-1782 avec la proclamation de l'indépendance en 1776. Ce fut l'origine de nombreux conflits entre Américains et Britanniques, et ces derniers posèrent comme priorité la défense du pays, d'où la nécessité d'augmenter et d'accélérer le transport des munitions et des vivres vers les établissements des Grands Lacs.

En 1799, on creusa alors à Coteau-du-Lac le premier canal à écluses d'Amérique du Nord. Il avait deux cent soixante quinze mètres de long et comportait trois écluses. Le site prenait ainsi une importance stratégique et il fallut le protéger militairement car les hostilités se poursuivirent jusqu'en 1814. On construisit un blockhaus, des casernes, une boulangerie, des entrepôts pour les munitions et les vivres ainsi qu'un bastion tréflé supportant un canon sur chaque lobe.

Inutile de dire que le cimetière préhistorique fut complètement chamboulé par ces travaux. Ossements et artefacts furent boulangés avec la terre dans l'aménagement des terre-pleins et des parapets. Seules les sépultures 9G49B et BhFn-1 furent retrouvées intactes. Sans doute y en a-t-il d'autres, mais les fouilles n'ont pas été reprises depuis 1975. Pourtant, à cause du grand bouleversement et par temps pluvieux surtout, on dit que les visiteurs trouvent parfois un bout de pipe ou une pointe de flèche apparaissant dans le gravier des allées.

Le canal de Coteau-du-Lac fut l'ancêtre du canal de Beauharnois, du canal de Soulanges et de la Voie maritime du Saint-Laurent. C'est à ce titre qu'il a sa place dans l'histoire du Canada.

* * *

L'histoire ne s'embarrasse pas de la préhistoire. Mais, sur les vastes pelouses et parmi les vestiges du site, le temps présent a préséance, comme il se doit, et il est doux, très doux même. Des enfants courent dans l'herbe; des adolescents pêchent dans la rivière Delisle; des adultes s'étonnent et s'émeuvent devant les récits du passé, et le centre d'accueil du Service canadien des Parcs offre des vestiges de chaque époque. Tout à côté, le moulin devenu restaurant leur dit : «Primum vivere», vivre d'abord. Plus loin au-dessus du décor, le clocher ajoute : «deinde philosophari», philosopher ensuite.

En face du site, bien protégés par les rapides qui en interdisent l'accès, les micocouliers ne subiront pas le sort des sépultures amérindiennes car le ministère de l'Environnement leur a créé une réserve sur les îles Arthur et Bienville. Si vous voulez absolument en voir un, il faut, paraît-il, le chercher à l'île Sainte-Hélène ou au Jardin botanique.

À moins que vous ne sachiez identifier le jeune spécimen qui pousse au bord du canal rigolet.

L'arbre est un peu banal mais son nom est un des plus jolis de la langue française et c'est de la Provence qu'il s'est égaré jusqu'ici, à la limite septentrionale de son habitat.

* * *

En plus du sol et de ses cours d'eau, le maïs est la plus grande richesse que l'Amérique et les Amérindiens aient offerte aux Blancs venus d'Europe.

Non seulement a-t-il nourri et continue-t-il de nourrir des générations de Nord-Américains, mais il a également engraissé bétail et volaille pour tout ce beau monde. Sur nos tables, il se présente en épi, en grains, en pain, en galettes et en sirop. Au salon, il devient le bourbon ou le Southern Comfort qui roule son or dans les verres.

Les Amérindiens l'apprêtaient toutefois d'une autre façon, pour en faire la «sagamité», à la fois vantée et décriée par les premiers explorateurs. C'était un mélange de maïs, de haricots et de légumes divers auxquels on ajoutait de la viande, parfois séchée, le «pemmican». On la faisait également au poisson et, dans ce cas, elle devait ressembler à la gibelotte des îles de Sorel, ces îles si proches des Abénakis d'Odanak, à l'embouchure de la rivière Saint-François.

«Sagamité» et «pemmican» sont presque disparus de notre vocabulaire et ils ne le méritent pas. Nous voici à la belle saison du maïs et j'ai le goût de réinventer une quelconque sagamité, au poisson, faute de pemmican, avec tout ce qui me tombe sous la main.

Nous viendrons la déguster ici même, Charles, à la mémoire de 9G49A, 9G49B et BhFn-1.

26 juillet

Bonjour!

C'est la fête de la bonne sainte Anne mais nous ne voyagerons pas aujourd'hui car il pleut à boire debout.

Nous irons plutôt visiter le couvent des ursulines et ses trois étages de musée.

Puis, à côté, au 34 de la rue Desjardins, nous irons visiter la maison où je faisais ma convalescence quand j'avais trois ans et que j'avais été hospitalisé à Québec.

La porte est ouverte justement car les gens font du ménage.

Allons!

Voici la chambre du fond. Regarde par la fenêtre qui donne sur la cour. C'est là que le labrador du docteur Delayney venait me faire un message tous les matins au son du top.

Un message en forme de OUAH! OUAH!

Où l'on accompagne un Yankee sur la route des chutes

Henry David Thoreau était vraiment un drôle de zigoto.

Tellement simple qu'à l'instar de Diogène il était probablement insupportable, encore qu'il ne manquât pas d'amis fidèles. Son manque d'agressivité était, au bout du compte, une provocation, une agression permanente.

Il prit la défense de John Brown, qui termina sa vie au bout d'une corde pour avoir combattu l'esclavagisme.

Glory! Hallelujah!

Il fut emprisonné pour avoir refusé de payer une taxe destinée à financer la guerre des États-Unis avec le Mexique. À son ami et protecteur Ralph Waldo Emerson, philosophe du transcendantalisme, qui le visitait et lui demandait : «Pourquoi es-tu ici?», Thoreau répondit : «Pourquoi n'y es-tu pas?»

Il inspira les principes de la vie simple à Tolstoï, qui se la compliqua légèrement, et il inspira la non-violence à Gandhi, qui s'en servit pour mettre l'Angleterre à genoux. Il est le saint patron des pacifistes et des objecteurs de conscience et il fut l'un des plus grands philosophes et des plus grands naturalistes américains.

Né à Concord, au Massachusetts, le 12 juillet 1817, il y décéda le 6 mai 1862. On a surtout retenu de lui qu'il vécut deux ans dans une cabane qu'il s'était construite au bord d'un étang, Walden, à quelques kilomètres de Concord. On retient également qu'il a beaucoup voyagé, surtout à pied.

Thoreau a décrit avec amour les rivières qu'il a fréquentées, notamment la Concord et la Merrimack, mais c'étaient des rivières paisibles, tout en méandres et en anses herbeuses. En 1850, pour des raisons qu'il ne précise pas, il eut envie de se payer la traite et s'amena sur la côte de Beaupré pour visiter... les chutes.

Ce fut un voyage de dix jours qu'il entreprit le 25 septembre avec son ami et futur biographe Ellery Channing. Il le résuma en un long texte qui se voulait une conférence mais qui fit un petit livre après sa mort. *A Yankee in Canada* a été traduit par Adrien Thério et publié ici dans les années soixante sous un titre parfait : *Un Yankee au Canada*. Avant d'y prendre plaisir, il faut savoir que Thoreau déboulonne les religions et les nationalismes d'un verbe sûr et direct, aussi bien chez lui que chez ses voisins.

Non pas qu'il soit athée ou antisocial.

Il est tout simplement libre.

Après avoir pris le train jusqu'à Saint-Jean-sur-Richelieu, un boghei jusqu'à Montréal, une barque jusqu'à Québec et un autre boghei jusqu'à la chute Montmorency, il marchera jusqu'à Saint-Ferréol uniquement pour voir l'eau tomber du bouclier précambrien dans l'extrémité de la plaine du Saint-Laurent.

Combien d'entre nous ont eu cette saine et simple curiosité pour cet aspect de notre pays ?

L'émerveillement de Thoreau est constant mais ce n'est pas un émerveillement qui se promène les baguettes en l'air. Non, c'est plutôt un émerveillement sobre et scientifique dans les moindres détails, comme un émerveillement d'amoureux méthodique et puritain.

Parmi les détails, le froid, mais il s'y attendait car il est «à quatre degrés plus près du pôle Nord» qu'à Concord. Sa toilette n'est pas des plus recommandables mais «il n'est pas sage, pour un voyageur, d'être bien vêtu. [...] On ne cire pas ses souliers pour aller à la pêche».

Thoreau a tout lu avant de venir voir et il cite le pilote du sieur de Roberval, Jean Alphonse, qui compare la chute Montmorency à un drap blanc tendu devant le navigateur au contour de l'île d'Orléans.

«C'est une splendide introduction au paysage de Québec, ajoute-t-il. Au lieu d'une fontaine au milieu d'un square, Québec a cette chute magnifique pour décorer les abords de son havre.»

Évidemment, ni Jean Alphonse ni Thoreau ne l'ont admirée dans ses aménagements actuels, avec téléphérique, passerelle au-dessus du gouffre et escalier qui gravit la falaise.

Cette chute a de multiples aspects. On l'a tellement vue d'en bas que, l'été, mieux vaut aller là-haut et suivre un petit chemin sur la rive droite pour y casser des cailloux farcis de trilobites, ces bibites du paléozoïque, une bagatelle de cinq cent trente millions d'années, qui nous demandent : «Feras-tu un aussi beau fossile que moi?»

L'hiver, il faut la voir d'en bas, comme ne l'a pas vue Thoreau mais comme l'a peinte Cornelius Krieghoff à la même époque et comme on peut la voir encore aujourd'hui lorsque les embruns virent en neige à sa base pour former le «pain de sucre». Au siècle dernier, les enfants l'escaladaient avec des cris de joie et le redescendaient sur le derrière tandis que les mamans, en crinoline, faisaient semblant de n'avoir pas peur et que les chevaux, attelés, se pavanaient en traînant ces messieurs.

* * *

Les voyageurs reprennent la route l'après-midi même en direction de Beaupré pour voir les chutes de la rivière Sainte-Anne, «moins hautes mais plus spectaculaires que la Montmorency». L'avenue Royale ne leur est pas pavée comme à nous et, sans se plaindre, Thoreau décrit le pays dans les teintes de la bruine qui détrempe la glaise sous ses pas. Force leur est de baragouiner le français, ce qui n'est pas notre cas, sauf que c'est assez rigolo dans le sien, surtout quand il arrive à Petit-Pré et que, avec un certain étonnement, il entend «Chipré».

Il note aussi — quel beau détail! — qu'un grand voyageur les accompagne à leur droite, le Saint-Laurent lui-même.

Aux chutes de la Sainte-Anne, Thoreau tombe un peu dans le délire, mais c'est un écrivain de talent qui nous épargne ce que vous et moi trouverions à dire devant le spectacle. Il saute des chenaux sur des troncs d'arbres; il descend au pied des chutes; il remonte au sommet sur l'autre rive; il évalue la hauteur des murailles qui contiennent la rivière; il est comme un chien fou qui voit enfin autre chose que sa paresseuse Concord.

Et puis, le coquin, il a le front de nous énumérer les tributaires de la Sainte-Anne, qui sont encore là aujourd'hui pour saluer notre visite : «la Rose, la Blondelle, la Friponne». On peut lui pardonner d'avoir oublié la Lombrette.

Revenu à Québec, Thoreau le pacifiste se désole des remparts omniprésents et de la garnison, qui semble occuper tout l'espace social. Il entendra un régiment écossais jouer *À la claire fontaine*, qu'il croira être notre hymne national.

Il ne se trompait pas tant que ça!

Végétarien jusqu'au bout des ongles, il fera tous les restaurants de la ville, désespéré de ne pouvoir y trouver un morceau de tarte ou un quelconque pudding. Un compatriote de passage, qui est en train de se battre avec un bifteck format colosse, voudra l'aider en lui disant :

— Ne cherchez pas, monsieur. Ils ne font pas de pudding par ici.

La morale de l'histoire, c'est qu'il est encore temps de s'émerveiller devant les chutes de la côte de Beaupré. Nos «chars» sont en parfait état pour nous y conduire; nos bottines tout-terrains sont dans le coffre; la route est plaisante et les habitants itou, pourvu que nous le soyons autant qu'eux.

En cas de pépin, il y a toujours la bonne sainte Anne qui, chemin faisant, nous tend la coupe Stanley à bout de bras.

Quant à l'eau, elle est encore au rendez-vous et elle enjambe encore le précambrien à la Montmorency, à la rivière aux Chiens, à Sault-à-la-Puce et aux sept chutes de Saint-Ferréol. Diaphane et joyeuse, elle tombe avec grâce, et volupté peut-être, en nous invitant à retourner d'où elle vient.

* * *

Dommage que Thoreau n'ait pas rencontré mon aïeule dans la rue d'Auteuil à Québec. En deux temps, trois mouvements, elle aurait comblé sa fringale de pudding avec un «bebé».

À quatre-vingt-dix ans, ma mère, grande bourgeoise ramenée au prolétariat par le krach de 1929, se fait encore des «bebés».

Il suffit de mélanger de la farine, du lait, de la poudre à pâte, un peu de sucre et un rien de sel. Quand le tout fait une belle boule, on la fourre dans un sac et on fourre le sac dans un chaudron d'eau bouillante qu'on ramène aussitôt à un feu doux. Après vingt, trente minutes, je n'en sais plus trop rien, on pratique une amniocentèse avec un cure-dent ou une fine brochette en bambou. Si ça colle, ce n'est pas cuit. Si ça ne colle pas, c'est parfait.

Sortir le sac du chaudron et le «bebé» du sac. Il devrait être dodu, blanc et lisse comme de la peau de fesse. On le tranche, on le sert et chacun l'inonde, à son gré, de mélasse ou de sirop d'érable, selon le «standing» de la maison.

Ne panique pas, Charles. Il ne s'agit pas de toi.

Oui, Thoreau aurait aimé ce mets sans prétention et bourratif à souhait. Il aurait mangé deux ou trois «bebés» qu'il aurait peut-être regagné Concord à pied.

31 juillet

Bonjour!

Mes bien chers frères, nous célébrons aujourd'hui la fête de saint Ignace de Loyola, qui fut un grand saint mais qui fut aussi un grand guerrier et un grand mondain.

Un jour, à la bataille de Pampelune, un boulet de canon lui passa entre les jambes et lui coupa à jamais l'esprit mondain.

Aussi, quand le Seigneur lui téléphona, s'empressa-t-il de lui laisser un message au son du top.

C'est la grâce que je vous souhaite.

Où l'on trouve un billet de mille dollars en regardant tout droit devant soi

Il était seize heures ou à peu près.

Quelques bateaux de plaisance revenaient dans la baie, ou dans l'anse.

La mer aussi y revenait, par brèves mais constantes remontées, visibles, odorantes et tellement douceâtres.

C'est bête à dire mais c'était beau.

Quelques peintres étaient attablés à la terrasse de l'auberge et le soleil coulait comme du baume sur une journée fatigante de route.

Rouler aussi longtemps dans un pays aussi raboteux pour aborder un rivage sévère mais accueillant, avec une madame qui vient de ce pays mais qui ne l'a pas entièrement vu, bien que son père l'ait arpenté de long en large pour évaluer les stères d'épinettes, oui, rouler aussi longtemps, ouf !

Pitoune elle-même, dans la flagornerie de ses ancêtres qui l'aimaient sans doute sans la connaître puisqu'ils lui ont bûché, usiné, municipalisé et politisé ce pays sans lui demander la moindre permission et pour le lui offrir au milieu de son âge en disant :

— J'ai fait ça pour moi, mais pour toi aussi.

C'est tout de même quelque chose de faire découvrir le Saguenay à une fille du Saguenay qui s'émerveille de découvrir son pays et qui le mitraille de toutes les caméras abordables comme de tous les angles permis.

Avec un rien d'intelligence percutant que vous appréciez surtout quand vous feuilletez, sans les lire, les quotidiens du matin égarés dans les restaurants et les auberges au bord des routes.

Tandis qu'elle filmait consciencieusement sur le quai de L'Anse-Saint-Jean, je me permis d'aborder un pêcheur qui ne pêchait pas du tout. Il avait simplement une perche, une ligne, un hameçon; oui, je l'ai vu quand il est parti et il y avait même quelques herbages non identifiables qui s'y étaient accrochés pour son plaisir. Il faisait semblant de pêcher mais il ne pêchait pas. Il regardait autour. Sauf que je m'étais apporté une bière et que lui n'en avait pas. Cela ne nous a pas empêchés de causer.

— Sauriez-vous me dire ce qui est arrivé au bout du quai?

— Il a brûlé.

— Je crois voir, en effet, mais dans quelles circonstances?

— Il paraît qu'on le sait pas. Il y a toutes sortes d'histoires mais cela semble lié aux problèmes de la pêche. D'aucuns parlent de vandalisme et ce serait pas une belle histoire. Mais je vous dis ce qu'on m'a dit. Moi, j'en sais rien.

Les enfants courent sur le quai. Eux aussi font semblant de pêcher quand ils ne s'occupent pas à se jouer des tours en coupant des lignes ou en se chipant des leurres.

Il y a un jardin, là-bas, au fond de l'anse, et, dans ce jardin, il y a un doris, monté comme un ex-voto. À côté, une plaque commémorative raconte :

«Au printemps 1838, la Société des Vingt-et-Un amorce la conquête du Saguenay. Après avoir remonté le cours de la rivière, une équipe venue de Charlevoix débarque en ces lieux le 28 mai de la même année. Ils jettent les bases du premier établissement permanent de la région consacré à l'exploitation forestière.

«Depuis ce temps, la mer, la terre et la forêt ainsi que la ténacité des pionniers et de leurs descendants ont engendré à L'Anse-Saint-Jean une communauté originale dont témoigne la richesse de son patrimoine.

«À l'occasion du 150e anniversaire du Saguenay–Lac-Saint-Jean, la population de la municipalité de L'Anse-Saint-Jean est fière de rappeler ses origines.

«Dévoilé à L'Anse-Saint-Jean ce 28 mai 1988.»

Une jeune fille passe devant la plaque.

Jeune fille au chapeau de paille.

Je lui demande de rester là.

Elle me répond qu'elle n'est pas de L'Anse-Saint-Jean mais de Montréal.

Je lui dis que ça va faire pareil puisque c'est pour impression seulement et non pour publication.

Ensuite elle s'efface dans le paysage et on dirait qu'elle est encore plus belle, sur le profil des maisons et de l'espérance.

Mais le pêcheur?

— Vous pêchez quoi, au juste?

— Je pêche de la truite mais c'est une façon de parler.

En effet, on jurerait qu'il a pris prétexte de tendre une ligne à l'eau pour avoir la permission de rester assis sur le quai, face à ce paysage circulaire et vivant où la brise de fin d'après-midi a un petit picot de salin.

L'Anse-Saint-Jean est bordé, ou bordée — selon qu'il est question de village, d'anse ou de merveille, et «dépendant» du ministère de l'Éducation, que vous ne fréquentez pas l'été, j'espère —, dc coquettes maisons sur sa rive droite.

En face est une jolie ferme, et les vaches rentrent des champs pour la traite, gentiment «poussaillées» par un gaillard qui fait de la motocross tout seul et qui s'arrange très bien avec l'orthographe de ce néologisme.

Inutile de dire qu'il y a des caps à ne plus savoir qu'en voir, chacun plus baveux que les autres dans son arrogance sculpturale.

Le pêcheur qui ne pêche pas en faisant semblant de pêcher rêve à des idées de pays et dit :

— On a oublié la régionalisation du gouvernement. Le monde qui décide, il est enfermé dans le béton des métropoles et il est jamais venu voir la place. La vois-tu, la place?

La marée monte tranquillement.

Au-dessus de la rivière Saint-Jean, Baptiste comme nous autres, qui râle entre des gouffres avant de s'aplatir dans l'anse et de déverser une partie du pays dans le Saguenay, entre les maisons, entre les granges, entre les propositions d'avenir et les supputations d'icelui, au-dessus de la rivière Saint-Jean, dis-je, il y a encore un pont couvert, toujours solide, je vous en passe un papier et pas n'importe lequel.

Quand on n'a pas les moyens d'aller faire une trotte jusqu'à L'Anse-Saint-Jean, on peut toujours tâter son gérant de banque par les amygdales, parce que le portrait du pont est au verso du billet de mille dollars de notre pays, encore qu'il existe, le billet autant que le pays, en date de 1954.

C'est le papier dont je parlais tantôt.

Dites, traînez-vous des billets de mille dans vos extravagances?

Mon pêcheur n'avait pas beaucoup d'extravagance avec sa ligne à pêche.

Il était habillé en été et il pensait de même.

— On élit des gouvernements qui gouvernent pas. C'est les multinationales qui mènent. Elles viennent couper le bois. Elles tètent des subventions pour planter des usines. Elles font du papier, puis, après, elles écrivent dessus ce qu'on devrait penser.

— Oui, mais les multinationales, c'est toi et moi.

— Je sais pas si c'est toi mais c'est pas moi.

— Comment L'Anse-Saint-Jean peut-il être un village aussi bien peigné, rasé et parfumé? Je n'y vois pas la moindre industrie.

— C'est une place de rentiers.

— Et toi?

— Je suis pas de la place, je suis de Laval. Mais pense pas que c'est pas beau!

Le soleil ne tombait même pas mais le serein s'en venait pas pire avec un ton plutôt doux et les jeunesses qui couraillaient sur le quai ne se plaignaient de rien.

Je n'ai pas oublié cet ami d'un moment.

Ni le billet de mille, que je n'ai jamais vu, sinon en plus beau, dans le vrai de vrai de mes routes d'été, qui valent bien plus qu'un bout de papier.

* * *

C'est un motel comme le plus parfait et le plus imparfait motel du long de nos autoroutes, où les gars de la voirie nous font bonjour avec leur drapeau tandis que le pléistocène pète en l'air grâce à la noble invention de M. Nobel.

Deux couples de Français s'informent des gâteaux.

Avenante, costaude et rigoureuse, la serveuse, qui est aussi patronne, propriétaire et fort gentille, les informe sans le moindre détour.

— J'en ai des bruns et des blancs. Les bruns sont bruns à cause du chocolat et le crémage est pareil. Les blancs sont blancs avec un crémage blanc.

Une aimable voisine intervient alors.

— Le gâteau blanc est à la vanille.

— Oui ! De la vanille ! C'est ça qu'on met dedans.

Pour des raisons hors de l'existence existentielle et connues d'eux seuls, encore que la tarte de Mme Pauline Martin nous saute à la face avec un seul bleuet dès que l'écran s'allume — me croiras-tu, Charles ? —, ils demandèrent de la tarte aux fraises.

14 août

Bonjour!

Oh ! que la brume est épaisse !

Comme un bandeau blanc dont on nous couvrirait les yeux.

Comme un univers empaqueté dans de la ouate pour être expédié quelque part.

Je n'ai jamais compris qu'on exige que les hommes se lèvent quand le soleil lui-même n'y arrive pas.

Il y a des jours qu'on devrait retrancher du calendrier comme des joueurs disqualifiés dans certains tournois pour ne s'être pas présentés au son du top.

Où l'on va dire bonjour à une belle dame qui prie sur un cap

Il y a plusieurs, plusieurs millions d'années, la planète Terre est recouverte de glace et elle déambule dans son orbite en se faisant de vagues remontrances sur son tourbillonnement continuel.

Ce qui ne l'empêche pas de tourbillonner davantage, de façon rigoureusement quotidienne, et ce qui n'empêche pas la glace de s'épaissir sur la solitude de sa croûte. La glace s'épaissit et s'épaissit. Elle devient lourde à pouvoir enfoncer une partie de continent.

Voici justement un point faible qui s'affaisse sous le poids du glacier, comme se formerait une simple ride dans un visage vieillissant.

Scrounch!

Le glacier creuse la ride et l'«écharogne» tant bien que mal en descendant vers la mer.

Le jeune homme qui nous explique ça est un produit universitaire du dernier cri et, à le voir et à l'entendre, nous pouvons être fiers de payer des impôts. Il nous remonte les âges géologiques comme nous remontons notre culotte quand la ceinture fait défaut et il nous raconte ces choses avec une humble simplicité comme l'enfant chéri qui dirait simplement : «Papa, j'ai besoin d'un dix.»

Nous sommes à la baie Éternité, ne nous y trompons pas.

Et nous avons tout ce temps pour regarder.

Pour regarder en bas, pour regarder en l'air, pour regarder autour.

Oui, le glacier avait un bon ciseau.

Le temps a fait le reste et le reste est devant nous comme un péché de vacances, découpé niaiseusement avec un rien d'amour, avec un paquet d'enfants qui couraillent autour et qui sont heureux d'être là, les jambes à la course, les bras en l'air et les yeux dans le bleu du ciel et de l'eau.

Le Saguenay est une merveille.

Vous avez beau l'avoir vu quand vous étiez jeune, vous le revoyez vieux et vous en revenez mal car il est plus vieux et plus magnifique que vous.

Auguste dans le partage de ses caps et de ses anses, précieux dans l'étalement de ses marées, secret dans le recel de ses trésors, «fourrant» de toutes les façons.

C'est aussi pour ça qu'il est aimable.

Nonobstant la clause constitutionnelle qui veut que les épinettes soient cordées la tête en l'air à droite d'une autoroute qui fait semblant de n'aller nulle part, le Saguenay coule d'ouest en est ou à peu près, avec toutes sortes de mécréants qui prolifèrent au bord de ses eaux pour des motifs aussi sots que «grenus» et qui, au bout du compte, ont raison contre toute réplique autre que raisonnable.

Le Saguenay est une veine continentale, qu'on l'aime ou qu'on ne l'aime pas.

Il était là quand Jacques Cartier est passé. Il risque d'être là quand nous serons passés.

Avec ce monsieur en salopette qui vous demande si vous avez fait une bonne excursion et qui regarde un peu du bord des embarcations pour voir si elles sont en ordre dans la rade.

La rade, il faut la voir. Découpée dans une majesté vue d'en haut, verte et verte, avec des tons de vert qui se répandent sur un atlas incomplet qui se fabrique à mesure qu'on le regarde.

Les escaliers en «B.C. Fir» couvrent la montagne et vous invitent à monter, même s'il pleut à boire debout.

Des papas et des mamans ont des bébés sur le dos et ne s'en plaignent pas.

Les bébés ont des papas, des mamans, et chignent un peu sans que la chiogène hispide s'en plaigne trop le long du sentier.

Puis, au bout d'une longue équipée, voici enfin Notre-Dame du Saguenay, bleue et blanche sur son socle précambrien, les mains jointes, priant pour qu'il fasse beau.

Il fait enfin beau et elle est belle.

Elle passe son éternité là depuis que Louis Jobin l'a sculptée en 1881, à la demande de Charles-Napoléon Robitaille, qui avait fait un vœu à l'aimable patronne alors que sa carriole s'enfonçait sous la glace.

À voix basse, je lui ai fait ma prière : «Aidez-moi pour l'amour du Christ.»

C'est à voix basse qu'elle m'a «répond», comme on dit là-bas, et elle m'a dit que la réponse était confidentielle.

Les autres marcheurs, accourus sans réclame, étaient muets à ses pieds, à moins qu'ils ne se contentassent, comme moi, d'oraisons jaculatoires.

Elle est belle et il fait enfin beau parmi les brumes au-dessus de cette invraisemblable rivière qui coule à nos pieds comme un livre d'images.

Il ne manquait qu'un hélicoptère, mais voici qu'il arrive en pétant la brume de tous ses feux, un petit peu sur le travers de la convenance mais en pleine conjoncture avec le «vroum vroum» du départ et de l'amitié.

Oui.

Cap Trinité sur la baie Éternité.

À droite puis à gauche puis en haut en redescendant un petit peu. Car on n'y va plus beaucoup en bateau, encore que cela se fasse malgré la récession.

Sauf que le monde ordinaire y va généralement à pied, comme «toé pis moé», à moins d'avoir un contrat du gouvernement.

Contrat ou pas contrat, le pays t'appartient dans sa splendeur et il t'attend avec une certaine patience à travers ses brumes, au travers de ses brumes, avec ses marées, ses odeurs faussement maritimes et ses routes que des camions réparent pour mieux les «décocrisser».

Ce dimanche, demain, les gens iront en pèlerinage au cap Trinité pour saluer la Madone, qui n'a peut-être pas été «assomptée» jusqu'au ciel mais qui, chemin faisant, a peut-être été déposée quelque part en route vers le royaume... du Saguenay.

* * *

Dans la circonscription de Duplessis, on appelait ça les galettes de Mémé.

À Saint-Fulgence, les petits Gauthier avaient un autre nom.

Le biscuit est en vente un peu partout, sous les noms les plus divers et les étiquettes les plus chics, merci.

Il suffit de brasser de la farine, du sein doux, un peu de son lait, du sucre, de la vanille et une pointe de sel avec un soleil d'été. Vous «tergévigotez» une belle pâte que vous roulez en chantant *Au clair de la lune*. Vous découpez en rondelles. Vous percez la moitié des rondelles. Vous couvrez l'autre moitié de confitures. Vous mettez l'une par-dessus l'autre comme en amour et vous glissez au four.

Les petits Gauthier appelaient ça des galettes au bobo.

Toi, Charles, tu te contenteras du sein doux.

16 août

Bonjour!

Roule roule chère bagnole
Avale plaines et vallons
Après toi nos braves guiboles
Iront jusqu'au sommet du mont
D'où l'on verra un étalage
De pays en activation
Et ce sera comme un message
Laissé par un fier compagnon

Où l'on apprend ce qu'est un fjord et ce que coûtent les framboises

J'avais une paisible discussion dans le lit de la chambre de la maison de chambres trouvée au bord de la route grâce à la gentillesse de la patronne du dépanneur, à la jonction de l'autoroute elle-même et du restant du paysage, ce qui est difficile à expliquer et encore plus à trouver, encore que ce soit trouvable et que la dame vous accueille en vous disant «Bonjour!» et «D'où venez-vous?» tandis que vous lui répondez que vous venez d'aller voir la Sainte Vierge sur le cap Trinité et qu'elle est bien contente d'ainsi savoir que vous êtes du bon monde et que vous ne dérangerez personne par des incongruités aussi impardonnables qu'impubliables, incongruités qui, à voix basse, se passaient tout de même de gauche à droite et de lit à lit avec bonne verve lors d'une discussion sèche, car nous étions en voyage d'affaires.

— C'est quoi au juste, un fjord?

— C'est une rivière qui coule vers la mer, non?

— Pas sûr!

Il n'y avait ni *Larousse* ni *Petit Robert* dans la chambre et je hasardai une définition.

— Je crois que c'est une vallée glaciaire envahie par la mer.

Elle s'endormit sans protester et, le lendemain, au centre d'interprétation du parc du Saguenay, le guide déclara nonchalamment qu'un fjord était une vallée glaciaire envahie par la mer.

Par bonheur, ma compagne n'avait pas de fusil à la place des yeux.

L'endroit d'où l'on voit le mieux le fjord du Saguenay, c'est sur le quai de Petit-Saguenay.

Debout là, la rivière vous arrive du fond de l'horizon en découpant ses anses, en effilant ses caps et en disant, dans le langage du pays : «Quiens-toé!», comme pour ajouter une note de vulgarité à la majesté de son cours afin de n'humilier aucun touriste sur son passage.

Pas même vous, statufié un moment au bout du quai, face à un huart qui vous attendait justement en ce beau matin.

Ce huart qui plonge dans la rivière comme dans les pages du poète Félix-Antoine Savard et qui émerge un peu plus loin, un peu plus tard, en gloussant son invraisemblable sérénade qu'il tient du vent, du roc, de la forêt, du soleil, de la mer, et qu'il transmet gratuitement à ceux qui arrêtent en passant ou qui passent en arrêtant.

Ce huart qui plonge comme son dollar canadien et qui remonte au gré du temps.

La plupart des fjords seraient situés dans le très nord de l'hémisphère Nord. Le mot lui-même vient de Norvège comme dans «Nord-vais-je».

Or, le Saguenay serait un des fjords les plus au sud du Nord, selon les géographes qui ont contemplé la question.

Quand nous passons devant l'église en nous posant la question, un Sacré-Cœur polychrome, le bras en l'air et le doigt aussi — l'index, faut-il préciser —, nous assure que c'est vrai et que Petit-Saguenay est une des plus belles anses du fjord.

Encore ne faudrait-il pas négliger les autres, notamment Sainte-Rose-du-Nord, Saint-Basile-de-Tableau et Sacré-Cœur, qui sont de l'autre bord, et les caps qui sont à l'Est, à l'Ouest ou Jaseux quand ils ne sont pas Liberté, Égalité et Fraternité comme dans «bleu, blanc, rouge» et à la tienne, Étienne!

Sur la route de l'anse, il y a d'autres surprises, comme cette Madone peinte sur un pan de rocher par Marc Boivin, avec un Enfant Jésus mignon, tous deux assis paisiblement sur la falaise et qui vous regardent passer en vous offrant le bouquet de roses qui remplace leurs pieds.

Au bout du chemin, au quai, il y a un vrai monsieur avec un vrai enfant, non moins mignon, qui se promènent en tâtant le matin.

Et il y a toujours ce huart qui s'épivarde dans la splendeur du jour nouveau et du vieux fjord à Petit-Saguenay.

Ce nom a été donné à l'anse où la rivière du même nom se déverse parce que le découpage des falaises est une reproduction en miniature de l'original, évidemment plus colossal.

Mais il ne faut pas se méprendre sur les miniatures car elles sont grandioses et on a peine à croire, en les visitant, qu'un pays aussi farouchement découpé soit habité.

Ceux qui l'ont colonisé étaient plutôt farouches, encore qu'il me revienne de bien doux souvenirs de certains «bleuets» et qu'il me soit impossible de dire tout le mal que je pense de certains autres.

Lui, par exemple, était inspecteur de voirie et il arrêtait chez moi pour prendre un café quand j'habitais dans Charlevoix.

On ne saura jamais à quel point les gens ont besoin de causer! D'aucuns s'en guérissent en écrivant.

Il avait toujours l'air d'un chien battu mais c'était le meilleur garçon du monde.

Il venait de Sagard.

On passe par là quand on revient de Petit-Saguenay en direction de Saint-Siméon en Charlevoix, par la route 170, et il me racontait ses pêches à la truite avec une simplicité, un humour que ce cher Ernest Hemingway n'a jamais retrouvé dans les torrents basques où il allait pêcher avec son ami Bill dans *The Sun Also Rises*.

— On y va au frai, quand elles remontent les ruisseaux, et on les pêche « à la tape », couché au bord de l'eau, en choisissant celles qu'on veut.

Voici Sagard, que ma compagne qualifie de « village le plus plate du monde », mais il faut comprendre qu'elle est originaire de « Hicoutimi », et « Hicoutimi-Nord, O.K., bebé ? ». Alors...

Loin d'être plat, Sagard est bien assis dans cette dentelle de montagnes qui s'apaisent un moment mais qui se ressaisissent pour nous offrir un mur, les Palissades.

Halte aux Palissades.

Il s'y trouve également un centre d'interprétation du gouvernement et il y a problème ce matin. Un groupe d'alpinistes ont stationné leur camionnette pour aller faire de la varappe dans les murailles. Un dispositif de sécurité se met à beugler dès qu'un mortel passe près de la camionnette et, forcément, il beugle chaque fois qu'arrive un visiteur.

Nous arrivons et le surintendant est justement là à se poser des questions.

« Beeeeuuuhh ! »

Nous nous éloignons et il regarde la falaise.

— Regardez. Ils sont là dans la crevasse.

Un point noir et un point blanc piqués sur la paroi rocheuse entre le ciel et rien du tout.

Avec un rien d'admiration et d'incompréhension, notre hôte ajoute :

— Il faut avoir du cœur pour aller grafigner de la roche de même.

Plus tard dans la conversation, il me dira, comme si j'entendais sonner le glas :

— Il n'y a plus de bois dans Charlevoix. Faut attendre qu'il repousse.

J'ai entendu la même phrase à Scotstown, dans les Cantons-de-l'Est, et je me dis que nos bûcherons étaient aussi vigoureux que nos papeteries étaient voraces.

Sauf que la route est encore devant soi comme un ruban d'été, avec la mer de Charlevoix retrouvée et des galons de brume qui s'éparpillent ici et là au hasard des paysages.

— Coupons à gauche ici. Nous passerons par Port-au-Persil.

C'est également une anse, mais très fréquentée, celle-là, et surtout par les peintres. Ce matin-là, il n'y en avait pas moins de dix, sur le quai, sur les rochers, qui se disputaient les splendeurs de cette alcôve maritime, dans des tons de gris grisants et vaporeux.

Mais il y eut un malheur.

Sur les routes d'été entre Montréal et Québec, la salicaire nous accompagne tout le long avec ses épis mauves. On la qualifie même de fléau tellement elle est envahissante. Or, de Québec vers le Saguenay, et en revenant dans Charlevoix, c'est l'épilobe qui prend la relève, dans les mêmes teintes mais avec plus d'élégance.

Or, je voulais une photo d'épilobes avant qu'ils ne disparaissent du décor et voici qu'il s'en offrit une colonie grande comme un désir impérieux et aussi désirable que sa satisfaction.

— Stoppons ici, dis-je à la chauffeur, la chauffeuse ou la chaufferesse, et aussitôt je m'en mordis les doigts.

Le talus, qu'elle ne pouvait voir, était couvert, sur plusieurs mètres, d'une abondance de framboisiers surabondants de framboises.

Arrêter ici, me disais-je en moi-même, nous ne repartirons jamais. Et j'avais hâte de rentrer.

Nous arrêtâmes tout de même, pour les épilobes, et ce qui devait arriver arriva. Elle tomba dans les framboises, bonnes comme toute la bonté de l'été. Moi, je rouspétais parce que nous étions mal stationnés, parce que nous n'avions pas de vaisseau pour les conserver, parce que nous n'avions pas le temps, et nous finîmes par repartir.

De retour à Québec, tandis que nous vidions l'auto, elle aperçut deux truelles et en fut intriguée.

— Pourquoi les truelles?

— Pour fouiller le terrain en passant.

— Quand on a le temps?

* * *

Dès qu'on entre à Québec, et pour se faire pardonner, il faut se précipiter au grand marché aménagé près de la gare du Palais afin d'y acheter des framboises de l'île d'Orléans, s'il en reste.

Un petit «cassot» coûte un huart.

Avec un doigt de crème et deux grains de sucre, elles sont délicieuses, mais, je le confesse, mon petit Charles, en rien elles ne se comparent à celles du bord de la route à Port-au-Persil.

20 août

Bonjour!

Comme ils n'en pouvaient plus d'attendre
Ils mirent les barques à l'eau
Et ce fut merveille d'entendre
L'accord des rames dans les flots
Alors qu'éperdus dans leur course
Parfois des goélands myopes
Laissaient pour camoufler leur frousse
Quelque message au son du top

Où l'on entend tinter un grelot dans l'histoire d'un fleuve

Promis, pas de menteries.

Je n'y suis pas allé cet été.

Mais comme je le regrette !

Et si j'aurais dû !

La faute en est aux autos, que je supporte de moins en moins à mesure qu'il y en a de plus en plus.

J'arrivais sur le quai de Saint-Siméon et elles étaient toutes là à faire la queue, à me dire : «Toé, t'embarqueras pas», alors j'ai remonté la côte sans demander mon reste et je suis revenu par la rive gauche en me disant que j'étais bien bête d'être aussi impatient.

Car je voulais revoir Rivière-du-Loup.

Je voulais retraverser le fleuve de Saint-Siméon à Rivière-du-Loup pour... oh ! le dirai-je ? oh ! quel fou je fais !... pour... non, vraiment, cela ne se peut pas, dites, maman, le dirai-je ?... pour goûter à la mer sans doute, pour regarder encore les vagues battre sur l'île aux Lièvres et pour... non, cela ne se dit pas, mais cela se regarde du pont du bateau, cela ne se dit pas non plus tandis que vous regardez au loin les îles Brandypot, et cela s'admire en pleurant presque lorsque le bateau s'engage dans le petit «déviron» qui sépare l'île aux Lièvres de son récif sud... pour entendre... je finirai bien par le dire, encore que je ne sois pas pressé tant le souvenir de ces voyages me raconte des étés magnifiques qui se bercent dans la mémoire de mon ordinateur... je voulais retraverser de Saint-Siméon à Rivière-du-Loup, finirai-je par l'écrire, par l'admettre, pour entendre la cloche qui tinte sur la bouée quand on passe à côté.

«Ding ! Ding !»

C'est la vague qui la fait ballotter et le son est une évocation des siècles de passage sur ces eaux que des navigateurs ont trouvées dangereuses au point d'y planter une bouée munie d'un grelot.

«Ding ! Ding !»

Mais quand il fait beau temps comme dans le souvenir, la bouée ne vous prévient d'aucun danger, d'aucun malheur, elle vous dit seulement bonjour et vous souhaite un bon voyage.

Je l'entends comme la première fois.

«Ding ! Ding !»

J'avais vingt ans comme nous tous et, cette fois, j'étais venu «par l'autre bord».

* * *

En partant de Sherbrooke, vous savez très bien que la route va partout ou à peu près. Quand elle n'en peut plus, elle devient sentier et s'enfonce dans la profondeur des paysages, d'où nous revenons ivres, ou tout comme, parce que la nouveauté subite nous a hypnotisés.

La route peut descendre aux États et s'étaler sur les côtes du Maine, pendant les belles semaines d'été.

Elle peut aller rejoindre le Saint-Laurent et avoir envie de le redescendre dans une frénésie de remontée d'ancêtres qui arrivaient par là et qui en arrachaient en chien pour s'arrimer dans le décor.

Mais ils l'ont tant fait qu'ils sont venus jusqu'ici et que le souvenir nous permet de retourner jusqu'à eux par la patience des travaux que nous avons menés dans la continuité de leur enseignement, de leur enthousiasme et de leur espérance.

Nous sommes dignes de nous-mêmes dans la mesure où nous sommes dignes de nos ancêtres et de nos enfants.

Nos enfants nous retiennent ici, aux abords de Sherbrooke et de Montréal, mais nos ancêtres nous invitent parfois sur les routes qui rejoignent le fleuve.

Il en est une qui se déroule paisiblement, de village en village, avec une volupté quasiment pécheresse, tant le plaisir est grand à saluer ses clochers qui nous font des «bebye» au soleil du matin ou de l'après-midi, à saluer ses artisans, ses marchands, ses paysans, à saluer tous ceux qui font que nous avons existé, que nous existons et que nous existerons peut-être encore demain s'il ne fait pas trop mauvais.

Elle se déroule de Lévis en descendant et nous chante une symphonie que personne n'a encore mise en musique, hormis les chauffeurs d'autobus et de camion :

— Lauzon. Beaumont. On arrête une minute. Une minute et demie !

Voici maintenant Saint-Michel-de-Bellechasse avec une hêtraie élégante qui escorte l'autoroute.

Une halte invitante offre du café et des sandwichs.

— Saint-Vallier, Berthier-en-Bas-envoye-par-là, Montmagny et nous arrivons, mon mignon !

Cela sent l'estuaire et cela lui ressemble.

Cap-Saint-Ignace, L'Islet, Saint-Jean-Port-Joli, Les Aulnaies, La Pocatière, c'est plus fort en salin et en envergure, sans parler des campagnes arriérées, qui ne le sont pas du tout, et où nos gens se sont apprivoisés aux Appalaches et s'y sont enracinés à force de bras et de quoi ?

En allant plus loin, les choses se compliquent et s'extasient, si l'on peut dire. Des îles se mettent à rouler avec nous au bord du fleuve, à moins qu'elles ne coulent dans la paix du soleil et des camions si tant est que l'une ou l'autre nous accompagne.

Rivière-Ouelle est tortilleuse comme une pas-possible, encore que la route passe par-dessus pas mal vite.

Mais vous avez beau passer vite, à moins d'aller fouiller dans les méandres par matin frais, vous ne sauriez deviner combien il y a de canards par là.

Avec des gens qui connaissaient la température et le canard, nous n'avons rapporté ni canard ni température mais nous nous souvenons de la tortilleuse pas-possible.

Au-delà, beauté, Saint-Denis-De la Bouteillerie, Kamouraska avec des images de téléroman, Saint-André avec du même, avec d'autres souvenirs d'amitiés, si vives et si présentes. Puis Notre-Dame-du-Portage, une anse à main gauche qui vous laisse un répit avant Rivière-du-Loup, les îles, les marées, les métiers maritimes qui occupent d'autres professionnels que vous.

Vous pouvez être chômeur qu'ils ne vous chargent rien pour les regarder travailler.

Le seul problème réside dans le fonctionnement des essuie-glaces quand il se met à pleuvoir. Il faut qu'ils essuient bien pour que vous conduisiez à peu près de même et qu'ils essuient l'ennui que vous pouvez avoir accumulé dans vos yeux.

Et voici Rivière-du-Loup où l'on vire à gauche pour gagner le quai.

La tradition — les traditions sont menteuses en général — veut que le site tienne son nom d'une tribu que Samuel de Champlain rencontra à son embouchure, la tribu des Loups.

J'y ai rencontré des Amérindiens qui ne m'ont pas demandé à quelle tribu j'appartenais. Comment aurais-je pu leur répondre? Je ne leur ai pas posé de questions non plus.

Mais sur le quai, devant cet étalage de magnificence qu'est le fleuve avec ses îles, ses brumes, ses nuages, ses marsouins, ses gens qui bardassent et ceux qui ne bardassent pas, des Amérindiens vendaient des paniers tressés en foin d'odeur.

Hierochloe odorata – mais on ne va pas écœurer le peuple avec du scientifique qui n'en est presque pas.

Ils étaient là au bord du quai et ils vous vendaient cela avec des sourires, et cela, messieurs dames, sentait le bonheur même.

Le foin d'odeur, vous en mettez une poignée dans le tiroir de vos «bobettes» ou de vos chaussettes et vous sentez bon longtemps.

Il n'est peut-être pas nécessaire de passer par Rivière-du-Loup pour le savoir mais je me souviens que cela ne dérange rien.

* * *

Il semble que le même Samuel de Champlain soit le quidam qui a introduit la prune en Nouvelle-France et qu'elle se soit répandue comme ça, sur les rives du fleuve et dans ses îles, tel un cadeau d'été.

Marie de Blois et Paul-Louis Martin viennent d'ouvrir *La Maison de la Prune*, à Saint-André de Kamouraska, tout juste au sud de Rivière-du-Loup.

Ils peuvent vous en raconter l'histoire, ils peuvent vous en faire manger, ils peuvent vous en faire boire.

Quand l'été s'étire et que l'automne s'annonce, avez-vous déjà cueilli une prune en cachette dans la fraîcheur d'un verger?

Il serait temps de le faire.

Toi, Charles, tu as tout ton temps.

26 août

Bonjour!

Maître Corbeau ayant téléphoné
Tenait dans son bec un message
Maître Renard par le timbre alerté
Lui tint à peu près ce battage
Camembert, monsieur du morceau
Que vous êtes coulant au bout de mon couteau
Sans mentir si votre message
A l'odeur de votre fromage

Mais soudain le renard
Est pris d'une syncope
Et le corbeau peinard
Entend le son du top

Où l'on anticipe les joies de devenir grand-père

Nous étions directeurs des communications dans divers ministères et organismes et nous avions des réunions à peu près trimestrielles qui étaient d'un ennui purement suicidaire.

Mais lui était drôle comme un singe sans jamais faire le pitre.

Seulement par une repartie ici et là.

Je m'en souviens encore : un garçon était entré dans la salle pour porter un message confidentiel au grand boss qui présidait la séance.

Dans le silence le plus total, il a tout simplement lancé, d'un ton neutre :

— J'vas prendre un club-sandwich avec ça !

Nous n'avons pas ri, nous avons éclaté, et le boss a suggéré un ajournement.

Il habite Saint-Césaire et il joue de l'orgue dans sa maison même. J'ignore ce qu'en pensent ses voisins et nous n'enquêterons pas là-dessus.

C'est un fou évidemment, mais certains fous ont du talent.

Un talent fou.

* * *

Ingénieur et chef d'entreprise, il m'invite souvent à un petit voyage sur la Yamaska et j'accepte le moins souvent possible.

Ce que c'est beau pourtant, cette rivière qui coule entre des saules, entre des porcheries parfois, ou des poulaillers, entre les mille et une activités agricoles et industrielles qui mettent du pain dans notre assiette et, parfois, du beurre dessus.

La Yamaska se déroule entre ses rives parmi divers pêcheurs, martins-pêcheurs, hérons, hommes, femmes et enfants, et elle assure un égouttement salutaire à la grande plaine limoneuse du fond de la mer Champlain.

En plein cœur de l'été, la pontédérie affiche ses épis bleus le long de cette route humide et fraîche.

La pontédérie, c'est peu dire tant il y a de merveilles qui poussent et fleurissent au bord de la rivière, tant il y a d'oiseaux qui volent au-dessus et aux alentours.

Et l'ami en question, que croyez-vous qu'il fait?

Il me fait remonter la Yamaska jusqu'à Saint-Césaire, en dessous du pont de chemin de fer, au bord de la route 112.

Je ne puis dire que je trouve toujours cela agréable mais c'est magnifique par le rappel des peintures de Monet à Giverny et c'est magnifique par le spectacle des gens qui essaient d'habiter le bord de l'eau convenablement.

Mais après le pont de fer de Saint-Césaire, juste un peu plus loin, la Yamaska perd de l'eau et n'est plus remontable parmi les cailloux.

* * *

Ma blonde, qui est également ma compagne, ne peut jamais prendre l'autoroute des Cantons-de-l'Est, la 10, sans me dire, à la hauteur de Saint-Césaire :

— Regarde ! On avait notre chalet là !

Au bord de la Yamaska, tout juste à l'endroit où le tape-cul de mon ami ne peut plus remonter à cause des cailloux.

* * *

La Barbue est une rivière, si on ose l'appeler ainsi, qui croise la route 112 quelque part aux environs de Saint-Césaire, parmi des phragmites qui bordent les fossés, hauts comme jusqu'au plafond de votre appartement, mais plus étendus que vous dans l'arrondissement.

Les phragmites sont des roseaux, dirais-je, mais peu de gens savent leur nom, encore que tous, ou à peu près, les voient.

L'important, c'est uniquement de les voir, dans la majesté de leur port, de leur élégance, poussés qu'ils sont dans la merde des fossés où ni vous ni moi ne voudrions pousser.

La brise aidant, ils nous saluent au passage.

La barbue est aussi un poisson qui vasouille dans des rivières vaseuses.

Et saint Césaire était évêque d'Arles avant de devenir le Saint-Césaire du milieu de la plaine du Saint-Laurent, au bord de la Yamaska, parmi les fermes de poulets et de cochons.

L'Église fête saint Césaire en ce 27 août, alors que j'écris ces pages. Je n'ai pas provoqué la coïncidence.

Mais lui ?

Avec tous les champs de maïs qui bordent les routes et la rivière, Saint-Césaire ressemble à la paix de la fin de l'été et nous sommes presque gênés d'avoir cette paix parmi l'abondance de catastrophes internationales qui se précipitent sur nous par les journaux, la radio, la télé.

Les vaches aussi sont belles.

Je me demande pourquoi on dit qu'elles sont bêtes, tant elles ruminent paisiblement sans nuire à quiconque au bord des autoroutes.

Et puis je trouve du lait dans mon frigo tous les matins quand je n'ai pas oublié d'en prendre un litre la veille.

Chez le dépanneur, pas sur l'autoroute.

Car l'autoroute contourne les troupeaux et on ne sait pas très bien qui regarde passer qui, des vaches ou des autos.

Mais ça passe.

Nous sommes gênés par la beauté des vergers où les pommes achèvent de mûrir et il ne faut surtout pas croire qu'elles ont fait ça toutes seules.

Nous avons probablement tous des «mononcles» et des «matantes» qui y ont vu de près en surveillant le temps et en étant attentifs aux migrations d'insectes qui renversent parfois nos projets.

Que je sache, Saint-Césaire n'a pas de pommeraies.

Saint-Césaire est au milieu de toutes les pommeraies, celles de Saint-Hilaire, de Rougemont, de Saint-Paul et de partout sur la frange des collines montérégiennes où elles grimpent un petit peu pour mûrir mieux à l'aise en cette fin d'été qui, en effet, sent la pomme et une «croquée» de bonheur.

Mais Saint-Césaire reste au milieu de la plaine, des routes et des autoroutes.

Saint-Césaire reste au milieu de la plaine avec ses artisans, ses agriculteurs, son collège et son église.

Saint-Césaire reste au milieu de la plaine avec ses vendeurs d'automobiles alignés au bord du journal et de la 112.

Saint-Césaire reste là, au beau milieu de la vaste plaine entourée de collines montérégiennes.

La plaine s'étend tellement qu'elle nous invite à nous y étendre.

L'automne roussit les moissons et fait grimper les enfants dans les pommiers.

L'automne, non ! C'est encore l'été et le soleil plombe.

Saint-Césaire reste là et sa cloche sonne au-dessus de la plaine grasse du fond de la mer Champlain, grasse et généreuse en poireaux, en oignons, en carottes, en tomates, en blé d'Inde et en tout ce que vous voulez de légumes ou de fruits, y compris les pommes.

Sans parler du sirop d'érable. Il y a bien quelques érablières à Saint-Césaire, mais les principales sont distribuées aux alentours, au pied des monts Yamaska, Rougemont et surtout Saint-Grégoire. Printemps venant, le sirop coule partout autour et, en escaladant les monts qui abritent les érablières, on peut regarder Saint-Césaire dans la plaine.

Mais les pommes !

Je me rappelle le dicton : « An apple a day keeps the doctor away. » Une pomme chaque jour tient le médecin à distance.

Winston Churchill a ajouté : « Surtout si vous savez bien viser. »

Tiens, la cloche sonne encore, loin du fracas des camions qui fracassent l'autoroute.

Elle sonne dans la solitude de la campagne, où bien peu de gens arrêtent.

Sauf le dimanche, pour les pommes.

Elle sonne dans la douceur des soirs de fin d'été, qui annonce un répit de fraîcheur.

Elle sonne pour me dire :

« Mon vieux Jean-Jean, c'est de Saint-Césaire que tu seras bientôt grand-père. »

Pas vrai, Charles ?

* * *

Les grands-pères sont un mets de pauvres mais, entre vous et moi, qui ne l'est pas aujourd'hui?

Alors, allons-y gaiement.

On brasse de la farine avec du lait, du beurre, du sel et, trêve de détails, on s'arrange pour faire une pâte onctueuse et plaisante.

Quand on en a les moyens, on fait pocher cela dans du sirop d'érable.

Et, par un curieux hasard que je trouve absolument inexplicable, on appelle cela des grands-pères au sirop.

Plus curieux encore, si je me sers de cette pâte pour enrober un morceau de pomme, cela devient un beignet.

Il suffirait donc d'un morceau de pomme pour transformer un grand-père en beignet?

Mystère!

Saint Césaire y serait-il pour quelque chose?

10 septembre

Bonjour!

Attention aux nuits fatidiques
Des grandes fêtes celtiques
Où les citrouilles se promènent
Déguisées en phénomènes
Plus ou moins hétéroclites
Qui vont viennent et sollicitent
Une friandise un message
Pour vous dire que le passage
De l'été à l'automne s'est fait hier
Sans qu'il y paraisse
Ailleurs que dans leur jeunesse

Où la jeunesse et la mort se chantent des cantiques

Enfin les élections fédérales arrivent au bout des routes d'été et nous ferons notre devoir comme des enfants sages.

Mais ces routes d'été et ces élections me ramènent en enfance et j'en parlerai en priant tous et chacun de m'excuser si cela n'est d'aucun intérêt.

Notre première visite nous emmenait au domaine de William Lyon Mackenzie King, dans le parc de la Gatineau, Mackenzie King qui fut Premier ministre du Canada de 1921 à 1948, avec une interruption de cinq ans, de 1930 à 1935.

Quand il céda la place, en 1948, il la céda à Louis Saint-Laurent.

Louis Saint-Laurent est né à Compton en 1882.

Compton!

Il faut voir Compton en cette fin d'été avec la rivière Coaticook qui se débrouille parmi les troupeaux et les moissons, parmi des paysages d'une douceur infinie au bord de la rivière qui borde les plus beaux coteaux du monde, y compris ceux du terrain de golf Milby, qui n'existait évidemment pas quand Louis Saint-Laurent est né.

Et vous n'êtes surtout pas obligé d'aller jouer au golf à Milby, où Daniel Talbot a mis sa balle dans sa poche au quatorzième trou parce que la gravitation terrestre n'est pas compatible avec la gravitation lunaire et qu'il s'ensuit d'étranges circonvolutions imprévisibles sur les verts de Milby.

Le poète Alfred DesRochers est passé par là lui aussi.

À Malvina, un hameau tout juste en retrait du village, à droite en descendant ou à gauche en remontant.

Comme l'appendice, c'est «selon».

DesRochers en a parlé ainsi dans «*City-Hotel*» :

> *Le sac au dos, vêtus d'un rouge mackinaw,*
> *Le jarret musculeux étranglé dans la botte,*
> *Les* shantymen *partants s'offrent une ribote*
> *Avant d'aller passer l'hiver à Malvina.*

Malvina, c'était tout juste à côté de Compton et ce l'est encore, mais je doute que Louis Saint-Laurent y soit jamais allé bûcher.

Il est né à Compton, toutefois, où son père Moïse tenait un magasin général, où sa sœur Laura a rassemblé un paquet de mémentos et où le Service canadien des Parcs a organisé un des plus beaux spectacles audiovisuels qui se puissent voir en paix et en pleine guerre.

Il faut dire ici qu'il y eut la bataille diplomatique de la conscription et que des milliers de Canadiens furent envoyés en Europe pour crever sur des champs de bataille.

Ernest Lapointe, notamment, s'y objecta, mais il eut soudain l'idée de mourir et Mackenzie King, ne sachant plus quoi faire, chercha un autre sous-contractant québécois.

Il trouva Louis Saint-Laurent, qui devint aussitôt le chouchou du Canada sous le pseudonyme de «Uncle Louis», l'oncle Louis.

Cela est arrivé à Pet et à Kim aussi.

Qu'il soit né à Compton, tout à côté de chez nous, parmi les paysages de Barnston, de Coaticook, de Saint-Herménégilde, de Barford, cela ne change pas grand-chose à l'affaire, mais voici le reste.

Louis Saint-Laurent a fait ses études au séminaire Saint-Charles-Borromée, à Sherbrooke, où j'ai moi-même étudié, et, tous les deux ou trois ans, il était invité à venir nous faire un petit «speech» quand il repassait par son alma mater.

Nous étions six cents, à peu près, dans la vieille salle qui craquait sous nos pas et qui puait autant par nous que par la vapeur des calorifères.

Là, les monseigneurs titulaires du collège — et c'étaient de très dignes personnages, je dis cela sans la moindre ironie — nous amenaient le plus illustre des anciens du séminaire, M. Louis Saint-Laurent.

Il venait tout juste d'être élu Premier ministre du Canada et il me semble qu'il était déjà un petit peu chevrotant.

Il avait un art oratoire exceptionnel.

Non pas qu'il fût bon.

Il était très mauvais.

Et c'est peut-être par là qu'il était excellent.

Juriste, il parlait comme en cour et nous étions les juges.

Cela importait peu, évidemment.

L'important, c'était qu'il avait usé ses culottes sur les mêmes bancs que nous et qu'il avait réussi à faire autre chose ensuite.

Jamais je n'ai entendu un orateur ânonner comme lui et je ne détesterais pas lire une étude un peu — pas trop — scientifique sur son élocution.

À l'opéra, il aurait certainement été une basse chantante, avec un écart un peu plus haut de temps en temps pour avoir l'air d'un baryton et pour revenir ensuite à sa voix naturelle qui n'était pas désagréable du tout.

Dans la grande salle du collège, il était seulement le nouveau Premier ministre du Canada et ses quelques anciens confrères qui habitaient encore dans la périphérie accouraient pour lui faire une frange d'honneur.

«Mes bons amis, je suis heureux de revenir aujourd'hui en ces lieux où j'ai grandi.»

Il y avait dans ce discours un mélange de dièses et de bémols que je ne comprends toujours pas.

* * *

Habiter un pays, c'est aussi savoir le raconter, et le Service canadien des Parcs le fait de façon exemplaire dans le musée aménagé au magasin général de Moïse Saint-Laurent, attenant à sa résidence de Compton.

On s'assoit sur des bancs «tournicotants» et l'audio-visuel nous raconte d'un mur à l'autre la Deuxième Guerre mondiale, la bataille de la conscription, les chicanes politiques, le désespoir de Mackenzie King et l'arrivée de Louis Saint-Laurent qui assume le pouvoir sans l'avoir jamais recherché.

C'est un livre d'histoire comme on n'en voit pas souvent et qui saute aux yeux en deux temps, trois mouvements.

Ensuite, nous passons au magasin, où les gens jouaient aux dames à côté du poêle à bois.

Nous pouvons faire le tour de la maison si la curiosité nous «tâtillonne».

Nous pouvons surtout sortir dans le jardin, où le kiosque et la balançoire nous attendent dans une paix immense.

* * *

Oui, tous les deux ou trois ans, Louis Saint-Laurent venait nous parler au collège et nous étions obligés de l'écouter poliment.

Mais voici que je ne suis plus au collège et qu'il n'est plus Premier ministre.

Voici que je travaille à Québec et que lui, vieillard fragile, est revenu dans sa maison de la Grande-Allée.

On le voit souvent chercher son souffle en poussant sa marchette sur le trottoir où Wolfe et Montcalm ont perdu le leur.

Ensuite il meurt et la maison Lépine sort un vieux corbillard en forme de carrosse royal, tiré par des chevaux également antiques.

Le tout descend la Grande-Allée avec les gars de la Gendarmerie royale devant, derrière et autour, et qui, ceux-là en costume flamboyant, jouent la marche funèbre de Chopin Frédéric en passant sous la porte Saint-Louis.

Ensuite vient le glas de la basilique, dans un moment de solennité et de réflexion où la cérémonie funéraire suit son cours.

Mais ne voilà-t-il pas qu'à la sortie du cercueil la chorale éclate en l'air dans le jubé :

Salve Regina
Mater misericordiae
Vita dulcedo
Et spes nostra salve

J'éclate alors moi-même car c'est un des cantiques que je me chantais pour m'encourager quand je marchais les routes de Moes River, de Coaticook, de Barnston et de Compton.

* * *

Les citrouilles mûrissent bien dans les jardins au bord des routes en cette fin d'été.

Elles sont bedonnantes et vous font rêver de tartes concoctées avec de la cannelle, du gingembre, de la muscade, des œufs frais et trois gouttes de mélasse, des tartes servies, cela est défendu, avec des montagnes de crème fouettée saupoudrées d'une poussière de chocolat.

Trempe ton doigt, Charles.

La crème fouettée, elle vient des vaches qui paissent derrière les citrouilles et qui vous disent bonjour.

Si vous n'aimez pas la tarte à la citrouille, il y a toujours la pomme et le quatrain suivant :

Voici l'automne
Le temps de croquer la pomme
Précieuse comme un souvenir
Frêle comme un avenir

Goodbye
Arrivederci
Hasta la vista
Auf Wiedersehen

Adieu, l'été.

17 septembre

Bon!

Le périple estival est terminé.

Les parfums d'automne nous arrivent déjà, avec les soleils obliques annonciateurs de l'équinoxe.

Les moissons se récoltent vivement.

Les arbres ont encore leur feuillage mais ne le garderont plus longtemps.

Les enfants sont retournés à l'école, avec leur sac, avec leurs cris.

Oui, le périple estival est terminé, et nous voici de retour à la maison, où il y a tant à faire : du ménage, de la lessive, des confitures et des projets d'accueil.

Des projets d'accueil pour toi, Charles, car tu es le plus petit et le plus grand chantier de l'année.

Tu seras un enfant de l'automne, arrivé avec la chute des dernières feuilles et — qui sait? — avec l'arrivée de la première neige, peut-être.

Tu seras un enfant de la citrouille et de l'été des Amérindiens.

Tout à fait comme ton papa.

Merci de m'avoir accompagné dans cette virée et n'oublie pas l'été que nous avons passé ensemble.

J'essaierai de t'accompagner moi aussi et j'espère que nous n'aurons pas besoin du répondeur téléphonique.

Tu t'en viens ?

Bonjour, Charles !

Montréal, 19 septembre 1993.

TABLE